特集
レトロでロマンスあふれる「大正時代」が舞台の小説

※「闇の絵本」は休載いたします。

月刊文庫 文蔵 2024.5 目次

表紙デザイン・管野はるな／本文デザイン・小林美代子

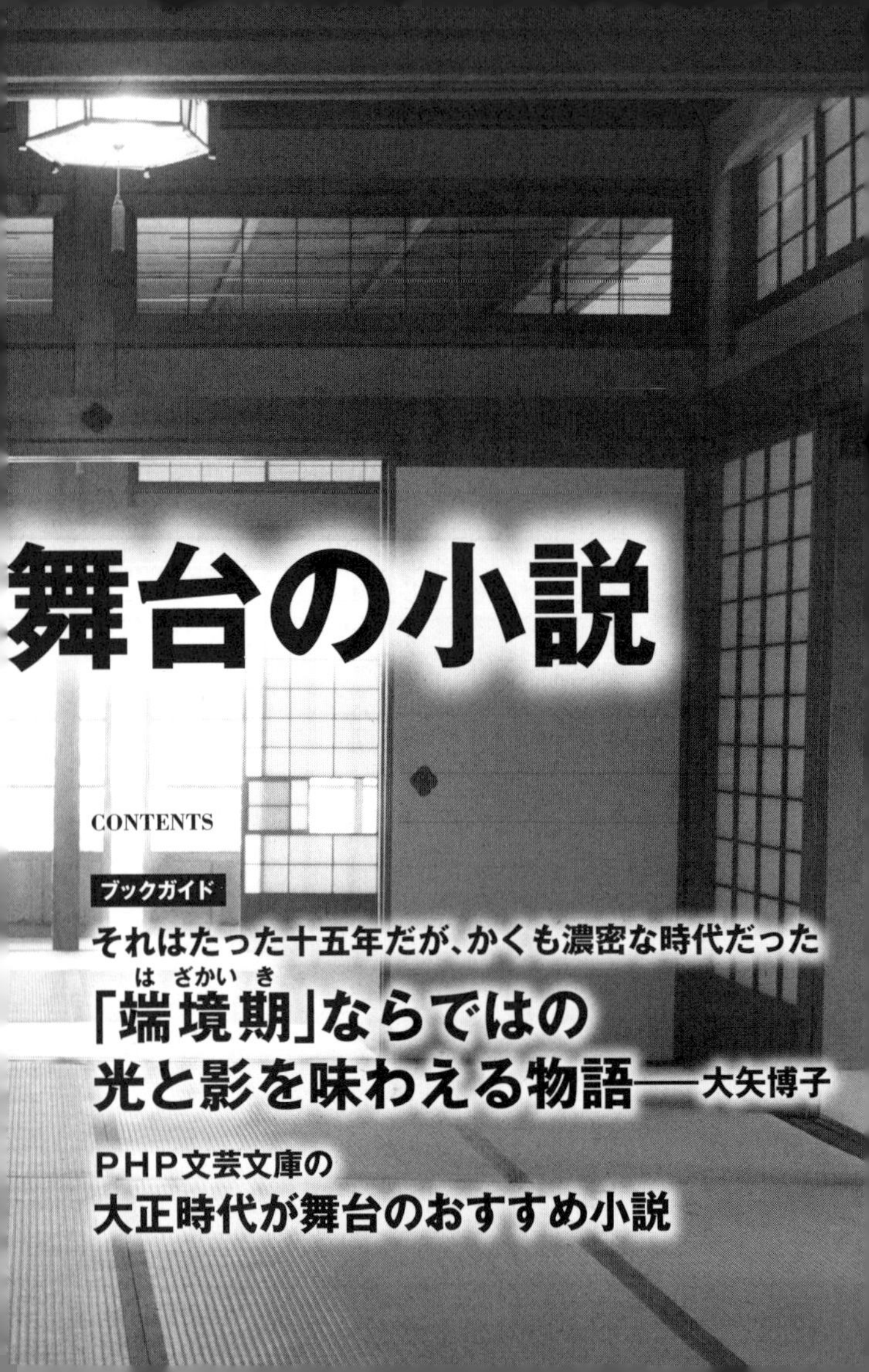

舞台の小説

CONTENTS

ブックガイド

それはたった十五年だが、かくも濃密な時代だった

「端《は》境《ざかい》期《き》」ならではの光と影を味わえる物語――大矢博子

ＰＨＰ文芸文庫の大正時代が舞台のおすすめ小説

特集

レトロでロマンスあふれる「大正時代」が

近代化・西洋化がすすみ、
多様な思想や価値観が生み出された大正時代。
そんな短くも大きく揺れ動いた時代を
舞台にした物語は、現代の我々こそ、
共感するところが大きいかもしれません。
本特集では、背筋がひやりとするホラーや
心躍るエンタメ小説など、
ノスタルジーたっぷりの作品を紹介します。

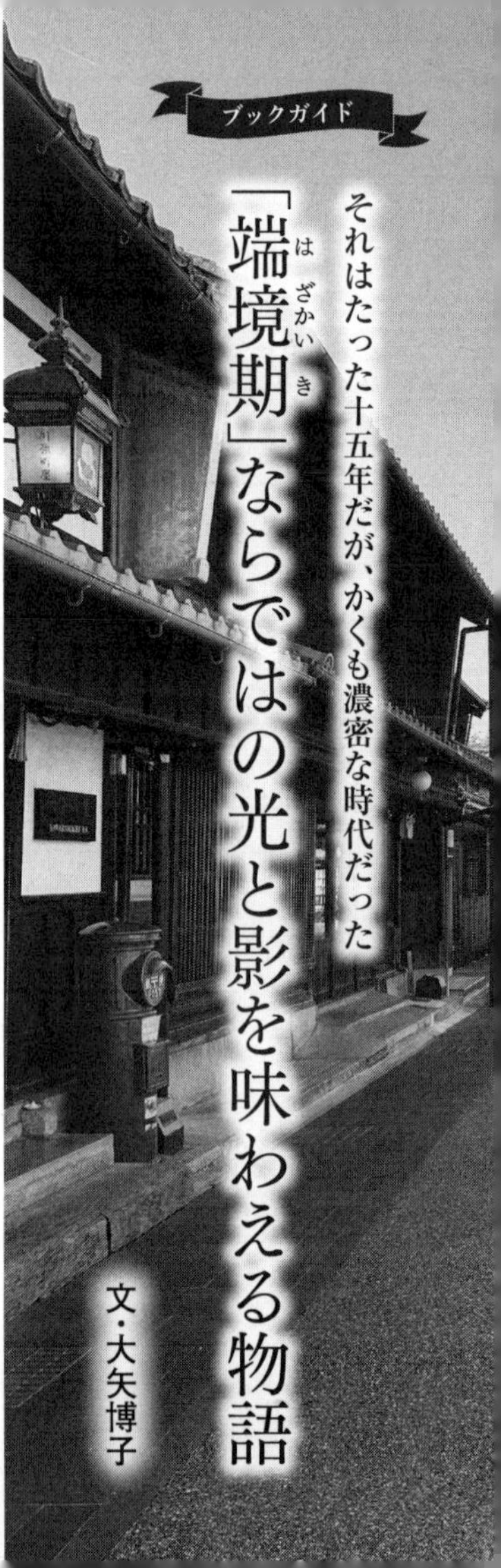

ブックガイド

それはたった十五年だが、かくも濃密な時代だった

「端《は》境《ざかい》期《き》」ならではの光と影を味わえる物語

文・大矢博子

たった十五年の大正時代。

都会では近代化・西洋化がどんどん進み、民本《みんぽん》主義、自由主義が発展した。呉服屋が百貨店になり、カフェや劇場が生まれ、職業婦人やモガ（モダンガール）が登場した。演劇や歌劇、小説、評論などが個人の解放を謳《うた》う一方で、芸術家の間には薬物の濫用《らんよう》や自死が増えるなど享楽《きょうらく》的・退廃《たいはい》的なムードが漂った時代でも

ある。だがそれは都市部だけ。地方では近代化の陰に『女工哀史』のような現実があった。政治では護憲運動が強まり、政党が力を持ち始めた。大正モダン、大正ロマン、大正デモクラシー。第一次世界大戦が始まり、終わり、その後の不況があり、大正七年から九年にかけてはスペイン風邪《かぜ》の大流行、そして極め付けが大正十二年の関東大震災。

たった十五年に詰め込み過ぎだろう大正時代。

だがそれだけ詰め込まれていると、小説も「どこを切り取るか」で実にバラエティに富んだ作品が生まれるのが興味深い。時代を知るにはその時代に書かれたもの——芥川龍之介《あくたがわりゅうのすけ》や志賀直哉《しがなおや》、谷崎潤一郎《たにざきじゅんいちろう》、菊池寛《きくちかん》といった作家たちの作品もそうだし、プロレタリア文学が生まれた時代でもある——を読むという手があるが、ここでは現代の目から見た大正を味わえる小説を紹介しよう。未来や結末を知っているからこそ浮かび上がるドラマや、評価の定まった今だからこそ可能な切り取り方を存分に味わっていただきたい。

ロマン薫る大正ミステリ＆ホラー

現代の目から見た、と言いつつも四十四年前の小説から始めることをお許しいただきたい。だが大正ロマンときたらこれをはずすわけにはいかないのだ。連城《れんじよう》三紀彦《みきひこ》の短編集『**戻り川心中**』である。

収録されている五作中四作が大正を舞台としている。表題作は天才歌人と呼ばれた男が二度の心中《しんじゆう》未遂の末に自死するも、その背後にあった真実を知り合いの作家が解き明かすというもの。ミステリとしての意外性はもちろんだが、その語り口は流麗にして抒情《じよじよう》性が高く、ただ美しいだけではない無常感のようなものに満ちている。無口な代書屋が殺人の疑いをかけられる「藤の香《か》」、場末の女郎《じよろう》宿を舞台にした「桔梗《ききよう》の宿」、自らの記憶と現実の事件の齟齬《そご》に悩む「白蓮《びやくれん》の寺」のいずれも、犯人が殺人に至った動機が凄《すさ》まじくも哀れで、これぞ連城文学の金字塔だ。す

『戻り川心中』
連城 三紀彦著／光文社文庫

べての話に花がモチーフとなっているのも抒情性を高めている。必読の一冊。

これは平成の『戻り川心中』ではないか、と思ったのが伽古屋《かこや》圭市《けいいち》**『散り行く花』**だ。殺人に手を染めた女性たちの物語がまず描かれ、その女性のもとに茂次郎《もじろう》と名乗る画家が現れる。その画家が彼女たちの犯行を見抜くという倒叙《とうじょ》ミステリの連作だが、親に身売りさせられた遊女であったり虐《しいた》げられた環境にある妻であったりと、犯人たちが犯行に及ぶ背景がまず読ませる。のみならず画家の提示する真相にはさらに一捻《ひとひね》りあって読者を唸《うな》らせるという、実にトリッキーな作品だ。ちなみに探偵役の茂次郎は実在の有名画家なのだが、その正体は最後まで明かされない。茂次郎が本名なのでぜひ調べてみていただきたい。

この二作は、平塚《ひらつか》らいてうが「女性は太陽であった」と唱えた大正時代に、日陰にいることを余儀なくされた女性たちの物語と言ってもいい。

乾《いぬい》ルカ**『ミツハの一族』**は、水が濁《にご》るのは未練を残して死ん

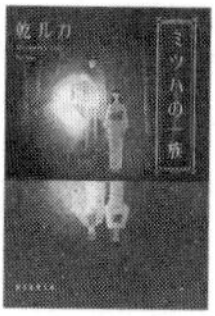

『ミツハの一族』
乾 ルカ著／創元推理文庫

『散り行く花』
伽古屋 圭市著／講談社

だ者の祟《たた》りとされた北海道の開拓村を舞台に、死者と話すことのできる八尾《やお》一族のふたりを描いた物語である。これも連作で一話ごとに謎と謎解きが楽しめるが、一族のため、村のためにすべての権利を奪われ幽閉《ゆうへい》された人物の哀れが涙を誘う。外の世界を知らないがゆえに、それが異常であることにも気づかないのだ。

北沢陶《きたざわとう》**『をんごく』**の舞台は大正末期の大阪・船場《せんば》。画家の壮《そう》一郎《いちろう》は、ケガが元で落命した妻の倭子《しずこ》を忘れられず、巫女《みこ》に降霊を頼む。しかし降霊はうまくいかない。妻は自分が死んだことに気づかず、さまよい続けているらしい……。言ってしまえばゴーストバスター小説なのだが、本書の魅力は何といってもこの文章だ。船場言葉の会話がとてもゆったりとしていて、湿り気があって、えも言われぬ雰囲気がある。妻を亡くした悲しみや喪失感、不気味な霊として帰ってきた妻に対する恐怖だけではない複雑な感情。これがデビュー作とは思えない筆力である。

おっと、シビアな話ばかり続いてしまった。金子《かねこ》ユミ**『千手學《せんじゅがく》園少年探偵團《えんしょうねんたんていだん》』**は楽しいぞ！　大正時代、名家の子息ばかりが

『千手學園少年探偵團』
金子ユミ著／光文社文庫

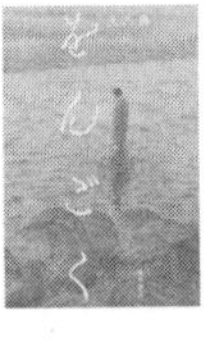

『をんごく』
北沢 陶著／KADOKAWA

入学する全寮制の中学が舞台。妾腹《しょうふく》のために捨て置かれていた少年が、本家の嫡男《ちゃくなん》が行方不明になったことで無理やり本家に入籍させられ、この学校へ入ることになった。これまでとあまりに違う環境に戸惑うが、校内で起きた事件を解決したことでいつしか探偵団が結成され――。個性豊かないいとこのぼっちゃんたちによるチームプレイが実に楽しい。その「いいとこ」というのが、大正時代に力をつけてきた政治家であったり企業であったりする一方で、家のために妾《めかけ》やその息子を利用してはばからないという描写もまた、時代のひとつの象徴だ。

大正を駆けるエキサイティング・エンタメ

大正という時代がよくわかるピカレスクが浅田次郎《あさだじろう》**「天切り松闇がたり」**シリーズである。目細《めぼそ》の安という大泥棒を親代わりに育った少年・松蔵が、師匠と仰ぐ盗人や小粋な掏摸《すり》の姐《ねえ》さん、頼りになる強盗や詐欺師《さぎし》の兄さんたちとともに誇りを持って悪事を

『天切り松 闇がたり 1 闇の花道』
浅田次郎著／集英社文庫

働く。老人になった松蔵が当時を思い出して語るのだが、それが講談調で実にかっこいいのだ。大正モダン華やかな東京の風景、気風《きっぷ》のいい江戸っ子たちの軽妙な掛け合い。あっというまに読者を大正の花の東京へ引っ張り込む。一巻『闇の花道』では、山縣《やまがた》有朋《ありとも》の金時計を盗む話から大正デモクラシーを描き、遊郭《ゆうかく》に売られた松蔵の姉との再会の物語から当時の女性のリアルを描く。新しい時代だからこそ古いものを大事にする人々。わかっちゃいるけど泣かされる、浅田ノスタルジー路線の傑作である。

　昨年映画にもなった長浦京《ながうらきょう》『リボルバー・リリー』は、関東大震災直後から物語が始まる。軍の重鎮《じゅうちん》である親から託された秘密を抱えた少年を、帝国陸軍とヤクザが追う。かつてスパイとして名を馳《は》せた小曾根百合《ゆり》はその少年の護衛となる。大正ロマンとアクションとノワールとダークヒロインを文庫六〇〇ページにみっちり詰め込んだ、エキサイティングな冒険小説だ。何より注目すべきは大正末期のきな臭さ。はっきりとは書かずとも、読者に「戦争やべえな」という感覚がひしひしと伝わってくる。ま

『リボルバー・リリー』
長浦 京著／講談社文庫

た、海軍を辞めた弁護士や人買いに買われた女性たち、足が不自由な少年、ドイツ人の母と日本人の父を持つ帝国陸軍の軍人など、「その立場の人がこの時代にどんな環境にあったか」というのがつぶさに描かれるのが特徴。決してアクションだけではないのだ。

須賀《すが》しのぶ**「芙蓉千里《ふようせんり》」**シリーズもいいぞ。一巻はまだ明治で、哈爾濱《ハルビン》で日本人が経営する遊郭にフミが売られてきた場面から始まる。遊女としてのしあがるんだと決意していたが、舞の才能を見出され芸妓《げいぎ》となるフミ。眼前で見た伊藤博文《いとうひろぶみ》暗殺。華族の旦那《だんな》を持ちながらも初恋の人が忘れられず――二巻以降は哈爾濱を飛び出したフミが大陸を駆け回る。三巻はもう、馬賊《ばぞく》！　馬賊！　馬賊！　そして四巻では意外な結末が待っている。大正ロマンも大正モダンもない、もちろんデモクラシーもない満洲《まんしゅう》で、恋と野心を胸に抱いたフミの活躍にページをめくる手が止まらない。だが背景にあるのはもちろん、満洲という政治まみれの地である。モンゴルの独立やロシアのイデオロギー抗争といった

『芙蓉千里』
須賀しのぶ著／角川文庫

国際社会のありようや、枠を外《はず》れる女性に対する見方、そして何より女性の生き方としてのフミの選択などなど、少女小説ではあるが相当に硬派なシリーズである。

夕木春央《ゆうきはるお》『**絞首商會**』は、血液学研究の大家である村山《むらやま》博士が殺され、その背後に無政府主義者の結社の影がちらつく――という物語だ。警察より先に犯人を見つけてほしいという遺族の依頼を受けた蓮野《はすの》は、実はかつて村山家に泥棒にはいって逮捕されたという前科を持つ。なぜ泥棒にそんな依頼を？　構成としてはガチの本格ミステリで、この時代だからこその科学技術が謎解きに生きるのが読みどころ。論理的推理だけでなく、アクションあり詐欺《さぎ》まがいの調査ありと展開が派手なのも読んでいて楽しい。そしてこの蓮野の物語は、泥棒たちが大暴れする『時計泥棒と悪人たち』を経て、今年三月に出たばかりの『**サロメの断頭台**』へ繋《つな》がっていく。『サロメの断頭台』では、戯曲や舞台女優など、まさに大正ロマンの要素がたっぷりだ。

朱川湊人《しゅかわみなと》『**鏡の偽乙女　薄紅雪華紋様**《うすくれないせっかもんよう》』もここに入れておこ

『**サロメの断頭台**』
夕木春央著／講談社

『**絞首商會**』
夕木春央著／講談社文庫

う。画家を志して家を飛び出した主人公が出会ったのは、この世に未練を残して死んだ者の魂を絵で成仏《じょうぶつ》させるという青年画家だった。妖艶《ようえん》にして耽美《たんび》！　特に、その頃の東京の街並みが眼前に浮かぶノスタルジーに満ちた描写力に注目だ。大正ロマン、というより大正浪漫《ろまん》と書きたくなる怪異譚《かいいたん》である。

実在の人物から見る大正時代

大正ロマン、大正モダンの象徴と言えるのがこの時代に発展した演劇、歌劇だ。特に女優の登場は舞台を一気に豊かなものにした。乾緑郎《いぬいろくろう》**『浅草蜃気楼オペラ』**は、浅草で隆盛を極めた当時のオペラ事情・演劇事情を、山岸妙子《やまぎしたえこ》というひとりの女優の目から描いた小説である。主人公の妙子とその友人のバイオリニストこそ架空《かくう》だが、他はほぼすべて実在の人物、実際にあった出来事で構成されている。日本でのオペラ黎明《れいめい》期の様子に始まり、浅草という場所の描写、興行師たちの暗躍、ペラゴロと呼ばれる熱狂

『浅草蜃気楼オペラ』
乾 緑郎著／宝島社

『鏡の偽乙女 薄紅雪華紋様』
朱川湊人著／集英社文庫

的ファンなど、当時の浅草の熱気が伝わってくるようだ。三越《みつこし》百貨店のエスカレーターに戸惑う妙子が可愛《かわい》い！　また、エキセントリックにして退廃的な女優たちの描写も、まさに大正といった趣《おもむき》がある。

この『浅草蜃気楼オペラ』はもちろん、これまでに紹介した多くの作品に登場して演出効果を上げているのが「カチューシャの唄」だ。劇作家の島村抱月《しまむらほうげつ》と相馬御風《そうまぎょふう》が作詞、中山晋平《なかやましんぺい》が作曲し、女優・松井須磨子《まついすまこ》が歌って大正を代表する流行歌となった。

その島村抱月と松井須磨子の恋愛スキャンダルを中山晋平の目から描いたのが志川節子《しがわせつこ》『**アンサンブル**』である。若き中山晋平が、師匠の浮気問題と夫婦喧嘩《げんか》に振り回されてぶちキレるまでの物語と言ってもいい。坪内逍遥《つぼうちしょうよう》が牽引《けんいん》する当時の演劇界に初めて登場した女優が松井須磨子だ。抱月は家庭がありながらも須磨子と恋愛関係になり、逍遥との関係も悪化して新劇団を旗揚げする。だがそれは革命であると同時に破滅への階段でもあった。恋愛と芸術、情熱と使命感のアンサンブルが、当時の演劇界をリア

『アンサンブル』
志川節子著／徳間書店

ルに炙《あぶ》り出す。

松井須磨子が大正演劇界のヒロインなら、当時の政治思想の世界のヒロインは伊藤野枝《いとうのえ》だ。村山由佳《むらやまゆか》『**風よ　あらしよ**』は、大正時代に筆一本で女性の解放を叫び続けた伊藤野枝の評伝小説である。地元の福岡で結婚を強制されるもそこから逃げ、翻訳家で教師でもあった辻潤《つじじゅん》と恋愛関係になる。アナキストの大杉栄《おおすぎさかえ》との出会い、平塚らいてうへの傾倒と別れ、大杉を巡るスキャンダル、そして関東大震災後の捕縛《ほばく》――極端といえば極端な生き方だ。いっそ動物的とも言える。けれどこの圧倒的な存在感、ほとばしるような情熱を見よ。自ら嵐の中に飛び込んでいく野枝の姿は、これもまた大正の象徴だ。

実業界からは高殿円《たかどのまどか》『**コスメの王様**』を。主人公は故郷の家族を支えるために単身で神戸《こうべ》に出てきた少年、利一。彼は花街《かがい》での少女との出会いを機に、洋品雑貨と化粧品を扱う個人商店を始める。粉石鹸《こなせっけん》を皮切りに次々と新たな商品を開発する利一の一大出世物語だ。固有名詞は変えてあるが、モデルは東洋の化粧王と

『コスメの王様』
高殿 円著／小学館

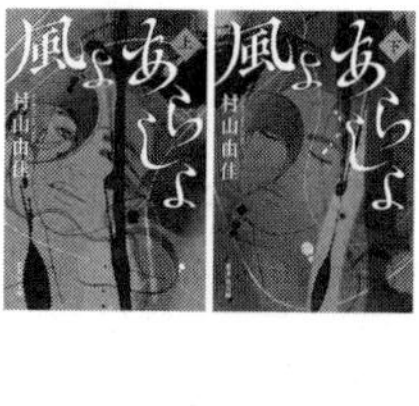

『風よ あらしよ』(上・下)
村山由佳著／集英社文庫

呼ばれた中山太一《なかやまたいち》氏。現在のクラブコスメチックス社の創業者である。この時代に何が求められ、どう商うのか。商売というのは最も時代が反映されるジャンルかもしれない。

門井慶喜《かどいよしのぶ》『**銀河鉄道の父**』も大正時代が物語の中心にある。子どもの頃は病弱で、長じてからは働きもせず親にたかり、妙な商売に手を出しては失敗などなど、親としては心配の種でしかない息子・宮沢賢治《みやざわけんじ》。賢治の父はそんな息子に惜しみない愛を贈る。ある意味、大正時代らしからぬ親子像だ。詩人・童話作家の宮沢賢治の原点が見える。

おっと、スポーツ界を忘れていた。堂場瞬一《どうばしゅんいち》『**奔る男　小説金栗四三**』を入れておこう。明治四十五年のストックホルム・オリンピックを皮切りに三度のオリンピックに出場した日本マラソンの父、金栗四三《かなくりしそう》の評伝である。大河ドラマでも描かれたので詳細は割愛《かつあい》するが、金栗が大正時代に為した大きな出来事に、箱根《はこね》駅伝の創設がある。スポーツ小説を多く書いている堂場瞬一らしくマラソンシーンは圧巻のリアリティだが、駅伝大会を創設する

『奔る男 小説 金栗四三』
堂場瞬一著／中央公論新社

『銀河鉄道の父』
門井慶喜著／講談社文庫

にあたって各所に交渉に行き、後進を育てんとする金栗の奔走《ほんそう》は読み応え抜群。今年第百回を数えた箱根駅伝の出発点は大正時代だったのである。

　怪異が跋扈《ばっこ》する幻想的な帝都あり、個人解放・女性解放を叫ぶ社会派あり、近代の技術をふんだんに取り入れた実業界の物語ありと、大正小説は実に幅広い。紙幅《しふく》の都合でここには書けなかったが、顎木《あぎとぎ》あくみ**『わたしの幸せな結婚』**や、白鷺《しらさぎ》あおい**『シトロン坂を登ったら』**、望月麻衣《もちづきまい》**『京都　梅咲菖蒲《うめさきあやめ》の嫁ぎ先』**など、大正時代や大正時代っぽい異世界を舞台にしたファンタジーも多く刊行されている。

　たった十五年しかない大正時代。だがその十五年は近代と現代の端境《はざかい》期だ。端境期だからこその混沌《こんとん》と秩序がある。端境期ならではの光と影がある。そのすべてを味わえるのが「現代から見た大正小説」なのである。

『シトロン坂を登ったら』
白鷺あおい著／創元推理文庫

『京都　梅咲菖蒲《うめさきあやめ》の嫁ぎ先』
望月麻衣著／ PHP文芸文庫

『わたしの幸せな結婚』
顎木あくみ著／富士見L文庫

PHP
文芸文庫の

大正時代が舞台の おすすめ小説

冷たい婚約者、異能を持つ名家の因縁、暗躍する能力者……。
人気の大正ファンタジーシリーズ！

『京都 梅咲《うめさき》菖蒲《あやめ》の嫁ぎ先』

望月麻衣著

時は大正、四神の力を持つ『神子』が台頭する時代。曰くつきの名家、梅咲家の令嬢・菖蒲は幼い頃、許婚として紹介された京都の桜小路家の御曹司・立夏に一目惚れをする。立夏を一途に思い続け、十五歳で婚姻の準備のため、東京から桜小路家へ越してきた菖蒲だったが、再会した立夏は、冷たい瞳で彼女を拒絶し──。両家の因縁、異能力者たちの思惑が絡み合う中、菖蒲の初恋の行方は？切なく、甘いファンタジー！

最新刊

『京都 梅咲《うめさき》菖蒲《あやめ》の嫁ぎ先〈二〉 百鬼夜行と鵺《ぬえ》の声』

京の町を脅かす“百鬼夜行”。事態の収拾のため菖蒲や四神たちはそれぞれ動き出すが……大人気ファンタジー、待望の第二巻！

人の心が読める繭子は、“モノノケの頭領”の家で働くことに。ポップでレトロなファンタジー！

『京都大正サトリ奇譚　モノノケの頭領と同居します』

卯月みか著

行方不明の父親を探すため、京都にやって来た木ノ下繭子。“サトリ”の血を引く彼女は、人に触れるとその心の声が聞こえてしまう能力の持ち主だった。ひょんなことから、天狗の子孫で、モノノケの頭領である小説家・壱村水月と出会った繭子は、彼の家に住み込みで働くことに。飄々とした水月に振り回され、モノノケたちの起こす騒動に巻き込まれながら、繭子は父の失踪の真相を知り――。ほっこり和風ファンタジー。

激動の時代を生き抜いた貞明皇后の生涯を描く傑作長編。

『大正の后《きさき》　昭和への激動』

植松 三十里著

幼少の頃に農家へ預けられ、「九条の黒姫さま」と呼ばれるほど活発な少女として育った節子《さだこ》。その利発さと健やかさを評価され、皇太子妃として選ばれたことから、明治、大正、昭和をつらぬく節子の激動の人生が始まった。病に臥せることの多かった大正天皇を妻として支え、母として昭和天皇を見守り続けた貞明皇后が、命をかけて守りたかったものとは。大正天皇と皇后の知られざる実像に迫った歴史小説。

一　仇讐《きゅうしゅう》

1

たまに早く帰れば、これだ。

路地裏で中年のサラリーマンが男たちに取り囲まれているのを目撃した郡山弦《こおりやまげん》爾《じ》は内心で嘆息《たんそく》した。取り囲んでいる男たちは三人、髪をピンクに染めた男と、二の腕にタトゥーを入れた男、そしてレスラー並みに巨漢の男で、服装や態度からも堅気《かたぎ》とは思えない。

「他人の女にちょっかい出したんなら、それ相応の覚悟をしろよな」

「あ、あれは彼女の方から声を掛けてきて」

「手前《てめ》ェは、女の方から声掛けられるようなタマだと思ってんのかよ」

状況といい人数といい、美人局《つつもたせ》の類《たぐい》と思われる。静観しているとサラリーマンに詰め寄っていたピンク髪が懐《ふところ》からぎらりと光る得物《えもの》を取り出した。

やれやれ、時間外勤務になるが見過ごす訳にもいくまい。郡山は路地を進んで男たちに近づく。

「揉めてるようだな」

「何だあ、手前ェ」

絵に描いたような展開に嫌気が差すが、構わずサラリーマンを背にして立ちはだかる。

「何だ手前ェはこっちの台詞《せりふ》だ」

刃物で他人を脅《おど》せば脅迫罪が成立し、郡山には三人を制圧する名目が立つ。無論、彼らがこのまま退散してくれれば問題ないのだが、生憎《あいにく》三人には最低限の判断力もなかったらしい。郡山が警告を発する前に、タトゥーの男が殴りかかってきた。郡山はこれを素早く躱《かわ》すと、伸びてきた腕を抱えて男を引き寄せる。

一本背負い一閃《いっせん》。タトゥーの男は受け身をする間もなくアスファルトに叩きつけられ、尻の辺りから鈍い音を立てた。

巨漢の男は正面から肩を摑んできた。首一つ分小さな郡山とは歴然と体格差がある。まともに組み合えば郡山がやや不利だ。だがストリートファイトにルールはない。郡山は巨漢の股間《こかん》を蹴り上げる。

「ぐ」

堪《たま》らず巨漢が身を屈《かが》めたところを首筋にエルボーを一撃、完全に体勢を崩した直後に顔面に右ストレートを炸裂《さくれつ》させる。そこで巨漢は横方向に吹っ飛んだ。

だが注意を巨漢にばかり向けていたため、ピンク髪の位置を捕捉《ほそく》し忘れていた。気配に気づいた時には、頰にちくりとした痛みが走った。

「ちっ」

ナイフの切っ先が掠《かす》めただけでピンク髪は舌打ちをする。舌打ちをしたいのはこっちだ。郡山は手刀でナイフを持つ手を叩く。ナイフは軽い音を立ててアスファルトに転がる。慌ててピンク髪が拾いにかかるのを待たず、郡山は相手の背後に回り込んで羽交《はが》い締《じ》めにする。投げっぱなしのジャーマンスープレックスは久しぶりだったが、見事に決まった。

いくら判断力が鈍くても敗色濃厚であることくらいは分かったらしく、巨漢がタトゥーの男とピンク髪を両脇に抱えて這《ほ》う這《ほ》うの体《てい》で逃げ出した。

ありがとうよ。このまま逃げてくれれば、しち面倒な逮捕をせずに済む。

ふと気づくと、脅されていたサラリーマンはいつの間にか姿を消していた。これも郡山には有り難い。しち面倒な事情聴取をせずに済む。

ひりつく頬に手を当てるとぬらりとした感触があった。

畜生《ちくしょう》、面の皮は厚いつもりだが思ったより深い傷を負ったらしい。それでも痛みの具合で痕《あと》に残るような傷でないのは分かる。

皺だらけのハンカチを傷口に当てて家へと向かう。飲食店の建ち並ぶ通りを過ぎると、やがて見慣れた住宅街が見えてくる。築八年十二階建てのマンションが郡山の住処だった。

一階エントランスに入った時、偶然知り合いと鉢合わせになった。

「弦さんっ」

素《す》っ頓狂《とんきょう》な声を上げたのは同じ六階の隣室に住む小湊《こみなと》真央《まお》だった。

「どうしたの、その怪我」

ハンカチを見て、しまったと思った。暗がりでは分からなかったが、止血した部分が裏まで染みていたのだ。

「まあ、ちょっと引っ掻いた」

「熊にでも引っ掻かれたの」

真央はまだ小学生のはずだが大人びた皮肉を返してくる。

「すぐに手当しないと」

「家に絆創膏《ばんそうこう》くらいある」

「絆創膏で治せるような傷じゃないって」

真央はエレベーターに郡山を押し込むと、自分で階数ボタンを押した。

「着替える前にウチに来て。応急手当するから」

「真央ちゃんの家に迷惑だろう」

「そんな傷でうろつかれる方が迷惑だよ」

言い逃れる理由を探しているうちに六階に到着してしまった。

「早くぅ」

真央に手を引かれ、自室の602号室を通り過ぎて603号室の前に辿り着く。

「ママ、怪我人連れてきた」

玄関で出迎えた母親の雪美《ゆきみ》は郡山の顔を見るなり、真央と同様に狼狽《うろた》えた。

「郡山さん、なんてなりを」

言うが早いか、雪美は郡山を引き入れてリビングに誘う。

「いや、小湊さん、こんなのはただのかすり傷で」

「ハンカチ、血で真っ赤じゃないですか。血の気が多いような年頃でもないのに、どこがかすり傷なの」

問答無用で郡山を座らせ、早速傷口を洗い流す。白色ワセリンを塗ると、大きめのラップを傷口に当ててテープで密封する。

「応急処置、終わり。明日、病院でちゃんと処置してもらって」

「ずいぶん慣れてるんですね」

「昔っから真央がやんちゃで、このテの傷をこしらえてくるのはしょっちゅうだったから」

雪美は手当てを済ませた郡山を軽く睨《にら》んだ。本人に自覚があるかどうかは分からないが、雪美が睨んでもこちらの頬が緩みそうになるだけでまるで怖くない。

「ヤクザとでもやり合ったんですか」

「そういう部署じゃないです」

これ以上心配させたくなかったので、適当に誤魔化しておく。この母娘には日頃から世話になっている。厚意に甘えるばかりか心配までさせたら申し訳なくなる。

「労災とか下りるのかしら。本当に病院へ行ってくださいね」

「駄目だよ、ママ」

横から真央が口を出す。

「どうせ弦さん、放っておけば自然に治るからって病院に行かないよ」

「そんなことはない」

「いつも忙しそうにしてるし、上司の人が病院嫌いだから自分も行きづらいって言ってたじゃん」

何気なく呟《つぶや》いたひと言をよく憶《おぼ》えているものだと感心する。雪美はまだこちらを睨み続けている。

「どれだけ丈夫な身体か知りませんけど、切れば傷つくし病気になれば弱るんですからね、人間というのは」

この言葉を上司にも聞かせてやりたいと思った。矢鱈《やたら》に頑丈で無鉄砲がパンプスを履いているような上司だから、部下は気が休まる暇もない。

「折角だからお夕飯、一緒にいかがですか。まだなんでしょ」

「傷の手当てまでしてもらった上に、そこまで甘える訳には」

「豚汁、作り過ぎちゃったのよ。この時期、お芋は足が早いし」

「いいじゃん、弦さん。どうせ部屋に帰っても一人なんだし」

「どうでもいいけど、その弦さんってのは何とかならないか」

「だって弦さんは弦さんだもん。コオリヤマさんって呼びにくいよ」

この調子では、ずっと『弦さん』と呼ばれ続けるに違いない。押しが強いのは母親譲りらしい。郡山は母娘の厚意に甘えることにした。本音を言えば、三人でテーブルを囲むのが密かな楽しみになっているのだ。

小湊母娘が引っ越してきたのは昨年のことだった。母子家庭で雪美が日中は勤めに出ており、非番の日に郡山が真央の面倒をみたのが近所付き合いのきっかけだった。時間潰しにゲームをする程度だが郡山と真央は不思議に気が合い、雪美も屈託《くったく》のない性分だったので、すぐに打ち解けた。

幸か不幸か郡山も男やもめだったので、小湊母娘と親交を深めるのに支障はなかった。家族を亡くした者同士、相身互《あいみたが》いという意識も働いた。

郡山自身は、彼女たちが引っ越してくる二年前に妻と娘を失っている。二人が歩道を歩いている時、高齢者の運転するクルマが車道を越えて突進してきたのだ。娘は即死、妻も搬送先の病院で息を引き取った。

元々このマンションは結婚を機に官舎から越してきたものだ。一人で住むには広過ぎるが、今更官舎に戻るのも面倒臭い。2LDKの部屋を持て余している時に引っ越してきたのが小湊母娘だったという訳だ。

以来、母娘との親交が続いている。皮肉なもので、郡山の娘がいたら真央と同い年になる。家族構成も事情も似通っており、ともすれば小湊母娘に己の家族を投影するのを避けようと努めている。

だが真央の天真爛漫《てんしんらんまん》さと雪美の屈託《くったく》のなさは誘蛾灯《ゆうがとう》のように逆らい難《がた》かった。

豚汁があまりに美味しく、二杯目を平らげたところで雪美から話し掛けられた。

「それはそうと郡山さん。来月の八日はお仕事ですか」

「いや、ちょうど非番の日だったと思いますけど」

「何か予定とかあったりする?」

頭を巡らせてみるが、男やもめに然《さ》したる予定などあるはずもない。

「いいえ、特には」

だったら、と雪美はにじり寄ってくる。年甲斐《としがい》もなく郡山は胸をときめかせる。

ひょっとしたらという期待と、自惚《うぬぼ》れるなという警告が同時に生まれる。

「わたしの代わりに、真央の授業参観に出てくれないかしら」

「え」

「その日、どうしても会社を休めなくて。ウチだけ保護者の参観がないなんて、真央の肩身が狭いでしょ。郡山さんだったら安心だし」

予想もしなかった申し入れに今度は郡山が狼狽え始める。

「いや、でもわたしなんかが保護者面するというのはちょっと」

「三者懇談とかはなくて、ただ授業参観だけなのよ。それに、どうせなら郡山さんに来てほしいというのは真央からのリクエスト」

見れば、真央は悪戯っぽく笑ってVサインを突き出している。本人からのたっての要望とあれば断る訳にはいかない。

「まあ、わたしでよろしければ」

途端に雪美は表情を輝かせた。

「ありがとうございます」

真央もしてやったりの顔をしている。自分のような者が母娘の役に立てるのは気恥ずかしくもあり、望外の喜びでもある。

最初、相伴《しょうばん》にあずかった時の居心地悪さは雲散霧消《うんさんむしょう》し、今は肌に馴染んだような安心感さえある。この安心感の正体は何だろうと記憶を巡らせると、亡き妻子との団欒《だんらん》に帰結する。

馬鹿、と郡山は再び自分を戒める。小湊母娘と新しい家族を作ろうとでもいうのか。いくら相身互いだとしても妄想に過ぎる。現実に戻れ。

だが警戒する一方で、母娘と一緒にいる時の心地よさは否定できない。妄想はしないまでも、今はこの安寧《あんねい》に身を浸していても責められはしないだろう。

ひと時、郡山は仮初《かりそめ》の団欒を楽しんだ。


翌日、県警本部に出勤すると、上司の高頭冴子《たかとうさえこ》が難しい顔をしていた。

「班長、おはようございます」

「ああ、おはよう。何かいいことでもあったか」

「どうしてですか」

「顔がにやけているぞ」

思わず顔に手をやりかけた。

「班長は朝からご機嫌斜めの様子で」

「別に機嫌が悪い訳じゃない」

冴子は不貞腐《ふてくさ》れたように弁明する。

「己で明言した現実が己に跳ね返ってきたら腹が立つだろう。今がそれだ」

「班長が誰に何を明言したんですか」

「外国人犯罪が多いのは外国からの旅行客が増えたからじゃなく、国内に居住している外国人が多いからだと答えた。それも選《よ》りに選って、総理大臣に向かってだ」

ああ例の件かと郡山は理解した。

いつだったか冴子が官邸から呼び出されたことがあった。何事かと身構えて官邸に赴けば、何と真垣《まがき》総理本人に千葉県内の犯罪発生率を説明するという状況に相成った。インバウンド政策を進める上で、現場の率直な意見を聞きたいというのが総理の意向だった。

「千葉県内では外国人の人口が十五万人を超えていて、総人口に占める割合は2・45%。計算上は県民の四十一人に一人が外国人だ。総人口に占める一般刑法検挙人員数は0・2パーセント。ところが国内に滞在する外国籍者に不法残留者を足した人数のそれは0・4パーセント。外国人犯罪が多い理由は数字が証明していると大見得を切った」

「ええ、憶えてますよ。数字は県警が独自に出したもので信用できるし、現場の感覚とも一致しています。それをどうして班長が腹を立てているんですか」

「昨日、最新のデータが発表された。去年よりも外国人犯罪の件数が増えた」

郡山は大して驚かない。去年一年間、捜査の最前線に立った感触がまさにその通りだった。前年に比べて外国人を検挙した数が増え、取り調べに苦労したのは未だ記憶に新しい。

「県内に居住する外国人の人口は微増だから、発生件数全体に占める割合も大きくなった」

「現実が跳ね返ってきたというのは、そういう意味ですか。しかし外国人犯罪が増えたのは班長のせいじゃないでしょうに」

「責任は、増加した犯罪にどう対処するかに掛かっている。それで無為無策の自分に腹を立てている」

冴子らしい苛立ちだと思った。背負わなくてもいい責任を負い、しなくてもいい反省をする。世渡りが下手で上司の覚えもめでたくない。

だが、その代わりに人望がある。か弱き者を救うためには平気で火の中水の中に飛び込む蛮勇《ばんゆう》を持ち合わせている。冴子のためなら身を張る覚悟がある者は、郡山だけではないはずだ。

「別に無為無策とは思いませんけどね。高頭班はよくやっていますよ。迷宮《オミヤ》入りになった事件もほとんどないじゃありませんか」

郡山は急に声を潜《ひそ》める。

「検挙率だってトップです」

「検挙率が上がっても、被害者にはただの慰《なぐさ》めにしかならない。ここ数年で増えた外国人犯罪はどれも悪質だ。手口も傷害の度合いも変質している」

冴子の悩みは郡山も理解できる。ＡＴＭの現金を盗むならコーナーを破壊してＡＴＭごと奪っていく。資産があるかどうかの確認もせずに強盗に押し入る。相手の生き死になどお構いなしに暴行を働く。彼らの犯罪は全体として、雑で刹那的《せつなてき》な印象が拭えない。

「お国柄と言うか民族性の違いじゃありませんかね」

「あまり考えたくないが、その国の政治家は国民が作るという。犯罪も似たようなものだ。国によって犯罪の質も量も違ってくる」

以前も新疆《しんきょう》ウイグル自治区で容疑者と闘ってきた経験があるから、冴子の言葉には説得力が備わっている。確かにかの地で繰り広げられていた民族への犯罪は、国とその体制ゆえに行われたものだった。

「文化、宗教観、思想によって犯罪の形態に相違が生じる。やはり外国人による犯罪は暴力的な感が否《いな》めない。当然、被害はより深刻なものになりやすい」

どこか切羽詰まった物言いに、ぴんときた。

「上から何かお達しがありましたか」

「察しがいいな」

「付き合い、長いですから」

「外国人による犯罪の取り締まりを強化してほしいとの要請があった。要請元は県知事だ」

思わず、ああと納得する声が出た。

今年初め、千葉市中央区のジュエリーショップに強盗が押し入った。それも白昼堂々とだ。

　犯人は店員を脅しながら手にしていたバール状のものでショーウィンドウを破壊、中から宝石を鷲摑《わしづか》みにして奪った。そして店内から飛び出した際、行く手の邪魔になる通行人に向けて得物を振り回したところ、その先端が女児の脳天を直撃した。

　この女児こそ現千葉県知事の孫娘だったのだ。

　幸い、ほどなくして犯人は逮捕されたが、女児は重態。犯人が市内に住む中国人であることが判明すると、即座に知事から件《くだん》の要請が出されたのだという。

「取り締まりの強化というだけなら納得もできますが、外国人犯罪者を重点的に警戒しろというのは偏《かたよ》っていますね。孫可愛さ犯人憎さも分からんじゃないが、公私混同と誹《そし》られても仕方がないですよ」

「内容が公表されれば誹られるだろうが、要請はあくまで県警本部長とトップ同士のやり取りだ」

「それにしたってウチが外国人を重点的に取り締まれば、勘のいいマスコミは知事のお孫さんが被害者になった強盗事件と結び付けますよ」

「勘繰《かんぐ》られても構わないと考えているんだろうな。現知事は公明正大なイメージで売っているが、孫娘がとばっちりを受けた怒りはそのイメージを放棄してもいいくらいには激しいとみえる」

首長の公私混同はいただけないが、孫娘を傷つけられた祖父の憤《いきどお》りも理解できなくはない。二つの正義と二つの憤りは郡山をやるせない気分にさせる。

「それで班長はどうするんですか」

「付き合ってられるか」

一刀両断だった。

「犯罪者に日本人も外国人もない。重点もクソもない。犯罪が発生したら分け隔《へだ》てなく捜査して犯人を逮捕するだけだ」

それでこそ高頭冴子だ。

郡山はその場で拍手したくなった。


仕事を終えて本部庁舎を出ると、郡山はスーツの量販店に向かった。小湊母娘と約束した授業参観の件が念頭にあったからだ。

授業参観に出るのは構わない。三者懇談もないらしいので、ただ教室の後ろに突っ立っているだけでいい。問題は服装だ。

外出時に着る服は風雪に晒《さら》されてよれよれになっている。捜査に着ていく分には構わないが、授業参観には似つかわしくない。郡山がよくても真央が恥を掻《か》く。

そうだ、真央に恥を掻かせるような真似はできない。

店に飛び込んで体格に合ったスーツを探してみるが、なかなか見つからない。新入学・就職シーズンのためか品数はあるものの、サイズの種類が少ない。

「お客様の体型ですと、数が絞られますね」

女性店員は少し困ったように笑ってみせる。

「何かスポーツをされていますか」

「まあ、突発的に全力疾走したり、相手と格闘したりはしますよ」

「アスリートもそうなんですが、身体を鍛えている人は標準体型の既製品ではあまり格好良くならないんですね」

確かに量販店で買うスーツは着潰すような感覚で使用しており、一張羅《いっちょうら》とは程遠い印象がある。

「オーダーメイドですか」

「生憎と当店では扱っておりません。グループが展開しているブランドショップがございますので、そちらをご紹介いたします」

言われるままにブランドショップなるものを紹介され、店舗に赴くと早速採寸が始まった。

「仕上がりは二週間後になります。完了通知はスマホにお送りしますので」

二週間後なら授業参観の五月八日に充分間に合う。六万円の出費は痛かったが、まともな外出着を一着仕立てると考えればさほど高い買い物でもないだろう。いったい子どものために服を新調することなどあったろうか。娘が亡くなったのは小学校に上がる前だったから、そんな機会もなかった。しかしこうしてオーダーメイドの服を待つ段になると、不思議に胸がときめいてくる。

これが父親として当たり前の感覚なのかもしれない。凶悪犯を追いかける慌《あわただ》しい日々の中で、すっかり忘却していた。

自ら日常を慌しくさせたという自覚もある。妻と娘を失い、ともすれば自暴自棄になりそうな郡山に平常心を保証してくれたのは仕事しかなかった。冴子の陣頭指揮の下、神経を擦り減らし肉体を酷使《こくし》するような捜査に身を投じていれば、喪失感を忘れていられたのだ。

不健全な話だと思う。だが、そうでもしなければ郡山自身が崩壊していた。今、他人の娘のために心を砕けるのは、傷が癒えた証拠なのだろうか。それとも、やはり真央に自分の娘を投影してしまっているのだろうか。

どうにも纏《まと》まらず、途中で郡山は考えるのを放棄した。今は真央の授業参観をそつなくこなすことに注力するべきだろう。

そうしてスーツが届くのを待っていたある日、県警本部に事件の第一報がもたらされた。

中央《ちゅうおう》区椿森《つばきもり》で射殺事件が発生、一課と鑑識に出動命令が下る。

椿森は郡山の住むマンションがある地域だ。自宅近くで殺人が起きれば、やはりいい気はしない。死体発見現場の三角公園もよく知る場所だった。

現場に急行する警察車両の中で、冴子がぼそりと呟いた。

「自宅の近所だな」

「ええ」

「射殺犯は目下逃亡中だ。土地鑑があるかどうかで逃走経路も違ってくる。参考意見を聞かせてくれ」

「お役に立つのなら何なりと」

警察車両はやがて見知った三角公園に到着した。現場にはブルーシートの覆いが設えられ、先着した鑑識係が周辺を動き回っている。

この時、既に嫌な予感があった。見知った場所での殺人。ならば被害者も見知った人間ではあるまいか。

ブルーシートで覆われた中、ブランコの傍《かたわ》らに成人女性と女児の遺体が横たわっていた。

紛《まぎ》れもなく小湊母娘だった。

2

しばらくは現実感が伴わなかった。

「バッグから運転免許証が見つかりました。被害者は小湊雪美、三十六歳。所持品の中に本人のスマホがあり、待ち受け画面には女児とのツーショットが」

「二人とも至近距離から射殺され、体内に銃弾が残存」

「格闘した痕跡は見られず」

次々に報告される内容も頭の中を素通りしていく。

どうして二人が殺されなければならないのか。

誰にも迷惑を掛けず、健気《けなげ》に生活していた二人だったのに。授業参観は三日後だというのに。

首から下の感覚がない。どうして立っていられるか不思議なくらいだった。

「郡山。おい、郡山」

自分を呼ぶ声で我に還った。

「班長」

「どうした。上の空だったぞ」

ここで冴子に隠してみても始まらない。郡山は被害者が隣人である旨を告げる。

「そのお隣さんと交流があるのか」

「たまに夕飯をご相伴させてもらう程度です」

「そういうのはただの近所付き合いじゃなく、家族ぐるみの付き合いと言うんだ」

冴子はしばらくこちらを見て考えているようだった。

「俺を捜査から外す算段でもしているんですか」

「近親者じゃないから外す理由はない。私情を挟まず、普段通りに捜査ができるのなら続ける。できないのなら外れて他の案件に集中してもらう。お前次第だ」

外されて堪るか。

自分以外の誰が小湊母娘の仇《かたき》を取るというのか。

「俺は大丈夫です」

「そうか」

冴子は一度だけ深く頷いた。

「検視が終わったようだ。同行するか」

冴子の言わんとしているのは、検視に耐えられるかという意味に相違ない。

「もちろんです」

冴子とともに改めて二人の遺体に向かう。感情を麻痺《まひ》でもさせなければ叫び出しそうだった。

「二人とも銃創以外に外傷はなかった。射殺だよ」

検視官は無表情で二人の遺体に残る銃創を指す。雪美は左胸に、真央は胸の中心部に一カ所刻まれている。

「二人とも出会い頭に一発ずつ撃たれている。争った形跡がないのは不意を衝《つ》かれたからだろう」

冴子が口を差し挟む。

「出会い頭でこれほど正確に命中できたのは、至近距離からの射撃だったからですね」

「ご名答。銃創が物語っている」

一般に射撃の距離によって銃創の形は異なる。

皮膚に銃口を当てて撃った場合、その表面には星型裂創《れっそう》が生じ、未燃焼火薬が皮膚の中まで貫入している。

星型裂創がなくても皮膚表面に黒く焦げた挫滅《ざめつ》創が生じて未燃焼火薬が皮膚の中に貫入している場合は、至近距離から射撃されたものとみられる。小湊母娘の銃創は後者だった。

「これだけ至近距離なら射入角度から犯人の身長が割り出せそうですね。弾丸は貫通していえるんですか」

「薬莢《やっきょう》ともども鑑識が探している最中だ」

「死亡推定時刻は」

「直腸温度を測った限りでは、昨夜四日の午後九時から十一時にかけて。解剖すれば更に時間が絞れるだろう」

「その時間帯の犯行であるにも拘わらず、よく夜間に発見されませんでしたね」

「死体は植え込みの内側に隠されていた。街灯があっても死角になって歩道からは見えない。実際、発見されたのは陽が昇った頃らしい」

つまり六時間以上も、遺体は野ざらしにされていたことになる。その光景を思い浮かべると、二人が不憫《ふびん》でならなかった。

もう話すことはないという素振《そぶ》りで、検視官はブルーシートの外へ出ていく。

「聞いていたか」

「一言一句、聞き洩らしません」

「この周辺は人通りが多いのか」

「いえ。メインストリートから三つも奥まった歩道です。大型スーパーからだと、ここが近道になるんです。通るのは近隣マンションの住人くらいでしょうね。かく言うわたしもその一人です」

「目撃者は限られるな。防犯カメラは」

「なかったと思います」

「小湊母娘が誰かから恨まれていたという話は聞いてないか」

「人に恨まれるような生活はしていませんでした」

「検視官の話を聞いてなかったのか」

冴子の口調が俄《にわか》に厳しくなる。

「小湊母娘は至近距離から撃たれた。それぞれ急所を一発。つまり犯人に対して警戒心を抱いていなかった可能性がある」

「顔見知りの犯行説ですか」

「まだ証拠が乏《とぼ》しい状況で先入観は禁物だが、一つの可能性として頭に入れておく」

冴子は小湊母娘の遺体にシーツを被せてからブルーシートを出る。早速騒ぎを聞きつけて、野次馬たちが集まっていた。普段なら何とも思わないはずだが、今回ばかりは死体に群がるハエのように思えて不快でならない。

ふと冴子がこちらを向いた。

「何ですか、班長」

「お前、子どもがいたな」

瞬間、郡山は息を止める。

嫌な上司だ。普段は腕力にものを言わせるタイプなのに、時折こういう鋭さを発揮する。

「いましたよ。ついでに言えば、生きていればあの娘くらいの歳になります」

「死んだ子の歳を数えるか」

「班長から言い出したんでしょう」

「ちょっといいか」

冴子は少し声を落として話す。

「わたしは母親になったこともないし当分なる予定もない。だから親の気持ちは分からない」

「しかし班長も以前、小学生男子と逃亡生活を続けたじゃないですか」

「アレはアレだ。保護者と被保護者みたいなものだ。まぜっ返すな」

慌てた後、すぐに口調を戻す。

「親の気持ちは分からない。お前の父親としての気持ちも分からない。しかし刑事の心得なら分かる。必要以上に被害者に肩入れするな。犯人憎しが過ぎれば誤認逮捕、延《ひ》いては冤罪になりかねん」

冴子は近くにいた鑑識係の戸倉《とくら》を捕まえる。

「目ぼしい残留物はあったか」

それがどうも、と戸倉は表情を曇らせる。

「不特定多数が通る道で、その上犬の散歩にも使われているらしく獣毛が混じっている始末です。分析には時間がかかると思ってください」

「下足痕は」

「こちらは比較的早くに特定できます」

「被害者たちには争った跡がないと聞いた」

「下足痕《げそこん》からもそれは明らかです。被害者二名は逃げた様子も抗った様子もありません」

聞く限り、最重要の物的証拠は射殺に使用された薬莢と弾丸だろう。弾丸の種類で使用された銃が絞り込める。弾丸に刻まれた線条痕で個別の銃を特定できる。

「街灯の少ない歩道です。薬莢の落ちる場所は見当がつくとしても、貫通した弾丸の行方までは見えなかったと思います。必ず探し出しますよ」

戸倉は目の色を変えた。

「あんな小さな女の子を、おそらくは問答無用で真正面から射殺している。およそ血の通った人間のすることじゃない。必ず犯人を特定できるブツを探してやりますよ」

「頼りにしている」

戸倉の背中を見送りながら、郡山は彼の変わりように驚いていた。

「戸倉があんな目をするのを初めて見ましたよ」

「あいつも子持ちだからな。分からないか。班の連中も鑑識も、いつもの五割増しで気合が入っている。皆、それぞれの立場で怒っているのさ」

臨場した際は昂《たかぶ》っていたので気づかなかったが、今は捜査員たちの憤怒《ふんぬ》が渦巻いているのをひしひしと感じる。冴子の言う通り、犯人に対する怒りは郡山だけのものではないらしい。

刑務所では服役囚たちの自慢大会が恒例になっている。どれだけ盗んだか、何人殺傷したかが彼らのステータスになる。知能犯罪は尊敬され、殺人は一目置かれる。シャバでの価値観が刑務所では逆転する。

だが子ども殺しは別だ。小児に手を掛けた服役囚は刑務所内でも罵《ののし》られ、侮蔑《ぶべつ》される。鬼畜に悖《もと》る者として時には迫害もされる。その価値観だけはシャバと一致している。警察官も、そして服役囚ですらも子ども殺しは最低の犯罪だと認識しているのだ。

「だからお前だけが気張る必要もない。小湊母娘の仇は高頭班全員で討つ。分かったな」

「了解です」

だが理解できても納得できないものがある。冴子の手前、了解してみせたが、郡山の胸には依然として復讐の焔《ほのお》が立ち上っている。

誰にも手錠は嵌《は》めさせない。

これは俺の事件だ。

「小湊母娘は、人に恨まれるような生活はしていなかったと言ったな」

「はい」

「お前の知らない母娘の生活を知る勇気はあるか」

「あります」

「鑑取《かんど》りにいく。被害者の勤め先を知ってるか」

真央を預かった際、連絡先としてスマートフォンに登録しておいた勤務先の電話番号がある。端末を取り出して表示させる。

『千葉中央総合病院』

「医療従事者だったのか」

「医療事務をしていると聞きました。看護師はシフト制で深夜勤務あり残業時間ありなんですが、医療事務は定時で帰れるとかで」

「行くぞ」

「小湊さんが、そんな」

羽柴《はしば》事務局長は小湊母娘の死を告げられると絶句し、そのまま椅子に座り込んだ。

「しかも真央ちゃんも一緒にだなんて」

「捜査にご協力ください」

郡山が差し出した名刺を見ると、彼女は意外そうにこちらを見上げた。

「郡山さんって、ひょっとして小湊さんの隣に住んでいらっしゃる郡山さんですか」

「どうしてそんなことを」

「たまに小湊さんが話してくれましたから。隣の郡山さんが娘の面倒を看てくれるから安心だって」

職場の人間にまで教えていたのかと、少し面映《おもは》ゆくなる。

「母娘はどんな風に殺されたのですか」

「詳細は控えますが、おそらく苦しむようなことはなかったはずです」

二人の最期を見届けた訳ではないが、死体の状況はほぼ即死であったことを示しているので嘘ではない。

「そうですか。せめてもの救いです」

何が救いなものか。

反射的に言葉を返そうとしたが、すんでのところで思い留まった。

だが上司には見透《みす》かされていたらしい。背後から手が伸びてきたかと思うと、冴子が郡山の前に出てきた。

「昨日の小湊雪美さんの行動が知りたいのですが」

「昨夜は定時の五時で上がっています」

羽柴はボードに記されたシフト表を確認しながら答える。

「いつもと同じでした。夕食の献立《こんだて》を何にするか迷っている風でした」

「退社時間は決まっているんですか」

「イレギュラーでもない限り、医療事務に残業は発生しませんからね。彼女はとにかく定時に帰るのが重要だったみたいです」

真央のためだ。学校から帰った真央をできるだけ一人にさせたくないために、雪美は残業代よりも時間を選んだ。

「看護師さんをはじめ、医療従事者の勤務時間は不規則だと聞いています」

「患者さんの容態は、わたしたちの都合に合わせてくれませんからね。でも小湊さんの仕事ぶりについて、文句を言う人は一人もいませんでした」

「何故ですか」

「誰にも文句を言わせないほど完璧だったからです」

「どこからか文句の出るような勤務態度では、母娘二人の生活を護れないからですか」

「その通りです。小湊さんはとにかく真央ちゃんが第一優先でした」

「小湊さんを恨むような人物に心当たりはありませんか」

羽柴はぶんぶんと首を横に振る。

「小湊さんに限ってそれはなかったです。誰にでも丁寧に接して、決して深入りはせず、目立つ行動はしませんでしたから」

「訊いていると、まるでトラブルを避けているような立ち居振る舞いですね」

「まるでじゃなくて、トラブルを避けていたんです。そのためには時に自分の意見を引っ込めるようなところがありました」

「それも娘さんのためですか」

「職場でのトラブルは家庭生活にも影響しますからね。小湊さん、徹底していたんです」

羽柴の証言を信じれば、少なくとも職場に雪美の敵がいたとは考え難い。だが翻《ひるがえ》って小湊家に目を向けても雪美の家族は真央だけで、こちらも動機は見当たらない。普段が忙しいから、雪美は何かのサークルにも参加していないと聞いている。

「では、ここ数日の間、小湊さんに関して何か変わったことはありませんでしたか」

羽柴はしばらく考え込んだ後、思い出したようにぱっと顔を上げた。

「あるんですね」

「昨日今日の話じゃなく、先月のことです」

「詳しく」

「小湊さんが昼休憩に出ていた時、電話があったんです。『小湊雪美さんはいないか』って。受けたのがわたしだったから、よく憶えてます」

「相手は誰です」

「それが、男性としか。英語だったんですよ。

『Is Yukimi there?』って。もうすぐ戻ると答えたら、すぐ切れちゃいましたけど」

「その電話の件、小湊さんには伝えたのですか」

「ええ。でも彼女も身に覚えがないらしくて、首を傾げていました。わたしも訊かれるまで、すっかり忘れていたくらい」

冴子はそっとこちらに目配せを送ってきた。誰からも憎まれていないはずの雪美に、不審な影が生まれた瞬間だった。


〈つづく〉

第一章　シーボルト（承前）

三

日本には人痘《じんとう》を使った人痘法という種痘の長い歴史がある。これは江戸初期に清（中国）の痘医が伝えたもので痘瘡《とうそう》患者の痘痂《とうか》（膿《うみ》）を採取して、薄めた微量を鼻から摂取させて軽い痘瘡に罹《かか》らせて終生免疫《めんえき》を得させるというものであった。

しかし、この方法は施《ほどこ》された者のうち半数以上の命を奪った。人痘には体質やその時の体調にもよるが重症化して死に至るという、本末転倒の重篤《じゅうとく》な副反応が否めなかった。そうは言っても半数近くは生き残れるという苦肉の策として、幕府はこれを許して、各藩は藩医に必ず痘医を加えた。それほど猛威を振るう痘瘡による子どもの死者が毎年多かったのである。その後、大村藩の高名な痘医長与俊達《ながよしゅんたつ》が痘瘡患者の瘡蓋《かさぶた》を粉末にして鼻から吸引する、旱苗法《かんびょうほう》を改良して人痘による致死率を大幅に下げた。痘医たちは実際の痘瘡患者の治療にあたる傍《かたわ》ら、各々《おのおの》の人痘法の秘訣を伝えてきていた。

「シーボルト先生はわが国における人痘法の進化をご存じないのだ」

静海は嘆いた。たしかに痘医たちが切磋琢磨《せっさたくま》した人痘法によって死者の数は激減していたが、それを因《もと》とする死は皆無《かいむ》ではなく、あえてこれを受けさせようとする親たちは少なかった。

玄朴はシーボルトに聞いた牛痘法について静海に話した。

「牛痘法で痘瘡に罹らなくできるものなのか」

珍しく静海はシーボルトの話に懐疑的《かいぎてき》だったが、

「シーボルト先生のおやりになることに間違いなどあろうはずはない」

玄朴は言い切った。この一瞬も自分を見つめていた死の床にあった八重《やえ》の目が鮮烈に玄朴の頭をよぎった。

そんな玄朴の確信に陰りが出て来始めたのは、四月に入ってすぐだった。漢方医たちがシーボルトの長期滞在を阻止するために策を講じているという話があると、シーボルトは自ら玄朴と静海の二人にやや青ざめた顔色で告げた。

数日は失意のままだったシーボルトは天文方《てんもんかた》の高橋作左衛門景保《たかはしさくざえもんかげやす》が訪れて、蝦夷《えぞ》と樺太《からふと》の地図を見せられると、ようやく笑顔を見せた。「グロウビズ、グロウビズ」と何度も作左衛門の名を阿蘭陀《オランダ》の名で呼んで涙しつつ謝意を表した。玄朴はシーボルトの緊張状態をどうにか和《やわ》らげさせたいと願っていたものの、来客時以外はシーボルトは部屋から出てこなかった。まるで、この地図に取り憑《つ》かれたように。

そしてついに、四月十日には将軍の侍医たちからの書状が届いた。それには将軍がシーボルトの江戸長期滞在を許可しなかったと記されていた。覚悟はしていたものの、シーボルトはその書状を破り捨てると背中を震わせていた。

玄朴はやっと見つけた光が闇に閉ざされてしまったと感じた。シーボルトに長期滞在をさせて、痘瘡に罹っていないこの国全部の子どもらに種痘をする話をしてほしかった。もちろんそれには、莫大な金と人が必要となる。そこまでの犠牲を民のために、幕府が払うとは思い難かったが、こんなに早くに幕切れが来るとは信じられなかった。

玄朴はもはや長崎の鳴滝塾《なるたきじゆく》には戻れなかった。亡くなった猪俣伝次右衛門《いのまたでんじえもん》から、娘照《てる》を託されていたからだった。これまで玄朴はただひたすらに勉学に勤《いそ》しんできた。時折八重の面影が頭をよぎることがあったが、他の女のことなど考えたこともなかった。照とも特段親しく話したこともなく、恩師の娘以外の何者でもなかった。「どうして自分が」と驚くよりも、貧しさから抜け出し、伝次右衛門や猪俣家から与えられた機会と恩に報いたいという気持ちにならざるを得なかった。

前回までのあらすじ

佐賀の貧しい農家に生まれた玄朴は、その学力を見込まれて頭角を表し、通詞猪俣伝次右衛門に阿蘭陀語を教わり、ひいてはシーボルトの弟子になる。しかし、シーボルトの江戸参府に随行する途中、伝次右衛門は暴漢に襲われて、今際の際に玄朴に娘の照を託して亡くなる。江戸滞在中、シーボルトから新しい種痘の方法について聞いた玄朴は、故郷で天然痘にかかり、救えなかった少女・八重のことを思い出していた。

伝次右衛門が亡くなってからというもの、玄朴はより一層熱心に蘭方医術を学ぶようになった。伝次右衛門が娘を託すほど、自分は何者でもなく立派な医者でもないのだという気持ちが常に付きまとっていたからである。

「俺は長崎に帰る。シーボルト先生にはまだまだ学ぶものがあるからな」

静海は、あっさりと結論を出した。この時、静海への羨《うら》みが高じないよう、玄朴は自分を必死に抑えた。

文政《ぶんせい》十（一八二七）年、玄朴に郷里に近い、肥後《ひご》藩とも呼ばれる熊本藩から蘭書を訳す仕事が舞い込んだ。玄朴が日々、生家からの無心に苦慮していることを長崎の静海が察して動いてくれたのだった。静海は出身が長崎近くではないにもかかわらず、医者、学者を中心に友人が多かった。万事に大らかで楽天的にゆったりと構えながらも、現実的な性分が信望となって人を引き寄せるのである。玄朴は母親の見舞いを兼ねて帰郷することにしたものの長い旅にかかる路銀の当てがつかないでいると、天文方勤めの猪俣源三郎《げんざぶろう》が訪れて、

「相変わらず実家《さと》は食うや食わずではないのか」

見通して薄く笑った。

玄朴が応えられずにいるといきなり、持参してきた風呂敷包みと金子《きんす》を玄朴の目の前に置いた。

「これでおまえの家族も飢え死にせずには済むな」

同情とは無縁な酷薄な顔で、

「この包みを長崎のシーボルト先生に渡してほしい。金子は長崎までの路銀と駄賃だ」

と告げた。

「ご公儀の書物奉行兼天文方の高橋作左衛門様を存じておろう。そのお方からシーボルト先生への約束の品だ。シーボルト先生から贈られた阿蘭陀の地図のお返しに是非とも、日本国及び関わるさまざまな地図をお贈りするとのことだ。これはすでに約束済みとのことだ」

玄朴を明らかに見下した表情を隠さず源三郎は説明した。

――この国の地図があれば海から近づくことができる。異国船打払令が出ている最中、たとえシーボルト先生の目的が学問上のものであっても、渡せば国禁を犯すこととなる。いいのだろうか――

玄朴が複雑な思いで聞きながら躊躇《ちゅうちょ》していると、

「よろしく頼む」

と源三郎は帰って行った。玄朴は源三郎が置いていった風呂敷包みを抱え、小判に触れてみた。小判はひんやりと冷たく重かったが、風呂敷包みの方は重さ以上に温かみを感じた。思わず玄朴は、

「シーボルト先生」

と呟《つぶや》いた。玄朴はシーボルトとの夢のような江戸滞在の時間を懐かしみ、今の自分の不遇を江戸長期滞在が叶わなかったシーボルトの悲嘆に重ねた。シーボルトの鎖国下での外国人差別への苦しみと玄朴の囚われている貧困には、違いはあったけれども決して共に除くことのできない澱《おり》であることに変わりはなかった。玄朴はひたすらシーボルトに会いたいと思った。それからシーボルトの元に戻った戸塚静海にも——。玄朴にとって会いたくてたまらない二人だった。

四

源三郎から与えられた金子は、玄朴を仁比山の生家に向かわせた。しかし、再会した家族は窮状を訴えるばかりであった。玄朴は何一つ言い返さず、こうなるであ

ろうとわかっていて道中惜しんで使ってきた金子の残りのほとんどを生家に置いて長崎へと向かった。

　出島外の長崎にある鳴滝塾のシーボルトは以前と変わりがなかった。玄朴や高野《たかの》長英《ちょうえい》が抜けても塾生は増えるばかりのようで、特にシーボルトが手術を披露する日には、交代で見学させるほどだと取り次いだ静海が説明してくれた。

「参府で将軍に拝謁《はいえつ》したのをお墨付きと見做《みな》して、諸国から我も我もと、老いも若きも西洋の医術を学びたい者たちが押しかけてくる。だから中には藩主に命じられた藩医もいる。どういうわけか、この俺がこの手の仕切りを任せられている。そのせいで学びの時が削られる。もう江戸でのような手伝いではないんだがな」

　やや愚痴《ぐち》混じりに告げた。玄朴に対しては、

「痩せたなあ」と言いつつも、当の静海も疲れ切っているように見えた。

　玄朴は鳴滝塾と隣り合っているシーボルトの邸宅へと向かった。ちょうど庭に出て紫陽花《あじさい》を愛《め》でていたシーボルトは玄朴が近づいてくると、一瞬戸惑い、曖昧《あいまい》に微笑んだ。

　――忘れられているのか――

　玄朴は拍子抜けしたが、江戸の天文方高橋作左衛門から預かってきた旨を伝えて

風呂敷包みを渡すと、

「なに、あの作左衛門からか」

シーボルトの大きな青い目が感動で見開かれた。

「ほんとうに作左衛門からなのだな」

さらに念を押されて、そうだと玄朴は力強く答えた。

「それは何より」

と言い放ったシーボルトは風呂敷包みを抱えて、そそくさと屋敷の中へと入ってしまった。いずれシーボルトが戻ってくるだろうと玄朴は待っていたが、一刻（約二時間）が過ぎても姿を現さなかった。自分を労《ねぎら》ってくれることも、

「ちょっと待っていてくれ」

という言葉もなかったと気づくと、玄朴は酷く傷ついた気持ちになった。

——先生の江戸での滞在の思い出の中にわたしや静海はいないのだ。静海は今も手伝いをさせられている。わたしたちはただの一時的な手伝いだったのだ——

言い知れぬ悔しさと寂しさに玄朴は襲われた。シーボルト邸の庭に咲いている紫陽花の中に、七色に変われず、咲くこともなく萎《しぼ》んでしまっているものが目に入った。その様子は少しも美しくない。シーボルトが愛でることもあり得なかった。玄

朴は気がつくと、その咲き損ないの花を手折《たお》っていた。こんな花になってたまるかと思い、

――負けないぞ――

心の中で叫んだ。この後、玄朴は静海に、

「これから熊本へ行く。仕事を世話してくれてありがとう」

礼を言って別れを告げた。そして、できるだけ、自分を虐《いじ》め尽くそう、と経験してきた貧困にまつわる、ありとあらゆる憤怒《ふんぬ》と屈辱の思い出を手繰《たぐ》り寄せた。そうすると寂しさは消えて悔しさだけになった。

――絶対負けない――

さらに玄朴は自分に言い聞かせた。

文政十一（一八二八）年、玄朴は江戸の長屋へと辿り着いて一休みした後、自分が江戸を留守にしている間、照とその母ミツに身を寄せるようにと言い置いていた、源三郎が住む天文方の役宅へと挨拶に行った。亡き伝次右衛門の妻はきっちり身仕舞《みじまい》こそしていたが、げっそりと窶《やつ》れて一気に十歳は年をとったかのように見えた。呆然自失《ぼうぜんじしつ》としていて、玄朴の挨拶にも返事をしない。

照が母親に代わって、

「よく御無事でお戻りになりました」

無理して大人びた口調にしようとしているのか、妙に真に迫った挨拶をした。普段は健康そのものの桜色の頬が青ざめている。

「何かあったのですか」

すると突然、ミツに、

「あなたのせいで源三郎は牢の中です」

玄朴は睨みつけられた。

「母上、そんなことおっしゃっては――」

照は必死に窘《たしな》めたがミツはまだこちらを睨み続けている。玄朴に魚の煮付けと白い握り飯を食べさせるために、方便を口にしておから飯を食べてくれた女《ひと》と同じ女とはもうとても思えなかった。玄朴の胸の中に残り続けていた数少ないぬくもりの一つが無残にも冷たく抜けおちていった。

照は兄源三郎の身に起きた大事について、要領よく伝えた。

「何でも高橋作左衛門様が兄を通してあなたに託し、シーボルト先生にお届けした地図はご禁制の品だったそうです。ご禁制を犯した罪で高橋様や兄たちは調べを受けています。長崎ではシーボルト先生、関わったとされる方々、通詞《つうじ》や戸塚先生まで捕らえられてしまっているとのことでした。シーボルト先生の帰国途中の船が嵐で陸に乗り上げてしまい、中から地図が見つかったからです」

照が話しているのを聞いている時もまだ、ミツの目は玄朴を睨み据えていた。

「いずれ、わたしにも沙汰《さた》のあることでしょうから自分から出向きます」

玄朴は言い残して番屋へと向かった。死にたくはないが免れ得ないものなら仕方がない、そう覚悟を決めた。こうして玄朴はしばし囚われの身となった。牢では扱いが上の揚《あが》り屋《や》にいたので、ずっと一人であった。すでに捕縛されているという高橋作左衛門や猪俣源三郎とは何の話もできないまま数日が過ぎた頃、鍋島《なべしま》藩の江戸留守居役が牢を訪れた。

「ついてまいれ、これから町奉行筒井《つつい》肥《ひ》前守《ぜんのかみ》様の御前《ごぜん》へまいる」

玄朴は白州《しらす》で裁きが下されるものだとばかり思っていたが、江戸留守居役は町奉行所ではなく肥前守の私邸へと玄朴を伴った。その門を潜る時、

「よいな、お奉行様がおっしゃる言葉には常に〝その通りでございます〟とだけお応えするのだ。その他のことは決して何も口にしてはならぬ。取り調べに従うのだ」

江戸留守居役は厳しい口調で言い、玄朴は首肯《しゅこう》した。留守居役の言葉は何も言わ

ずに潔く死を受け容れよという意味に聞こえた。いよいよと覚悟を決めて玄朴は町奉行筒井肥前守政憲《まさのり》の前に跪《ひざまず》いた。

「天文方高橋作左衛門、同じく猪俣源三郎より託された問題の包みは厳重に密封されていたのだな」

　肥前守の問いかけに、

「その通りでございます」

　玄朴は留守居役に約束した通りに答えた。

「であるからそなたは包みの中身を知らなかった。そうだな」

　一瞬、玄朴は答えに迷ったがやはり、

「はい」と答えた。

「よしっ、そうか、それならよかろう」

　玄朴の予想と反して、呆気《あっけ》なく町奉行による接見は終わった。

　帰り道、留守居役が、

「忠義に厚いそちをここで殺してしまうのは惜しいゆえのはからいだ。今後も陰《かげ》日向《ひなた》なく、ご奉公を怠《おこた》るでないぞ」

　と言った。

「わたしの生まれは仁比山の神社の被官とは名ばかりの百姓です。今は蘭方医を志していきます」

玄朴が返すと、

「ならば高位、たとえば殿の傍に仕える御典医《ごてんい》をめざせ。そうなれば帯刀《たいとう》を許されて本物の武士になれるぞ」

留守居役は励ますように言った。

――わたしは侍になどなりたくはありません。ああ、でもきっと偉くならなければ、一人でも多くの患者の命を救える術も力もある頼もしい医者にはなれないのでしょう――

という言葉を玄朴は呑み込んだ。今回はたまたま助かったが、弱い立場であれば簡単に死罪になることもあり得る。生き残って医者として成功し、たくさんの命を救うためには、やはり偉くならなければならない、と玄朴は強く思った。

五

留守居役は、シーボルトの陳述について以下のように語った。

高橋作左衛門と猪俣源三郎の詮議は続けられている。軟禁状態のシーボルトは詮議の際、学問的な興味と科学的な目的のためだけに情報を求めたと主張し、捕らえられた多くの日本人の友人に罪を負わせまいと必死になった。究極は鎖国ゆえの決まりならばいっそ日本の民になり、残りの人生を日本に留まってもいい、人質になることも辞さないと決意のほどを見せた。そうすれば地図も何もかも日本から持ち出されずにここに止め置くことができると——。

別れ際に留守居役は、

「そうそう、こんなものを託されていた」

と言って、文を玄朴に渡してくれた。それには一言、

「以後、瀧野《たきの》玄朴は義弟にあらず、白石鍋島藩医瀧野文礼」とだけ記されていた。

——白石鍋島家はこの事件に連座《れんざ》したわたしを佐賀鍋島家が切り捨てると見て、先手を打って自分のところも縁を切らなければ、親戚筋の佐賀鍋島家に迷惑がかかると危惧《きぐ》したのだろう——

一度は次期佐賀藩主の貞丸《さだまる》（後の斉正《なりまさ》）様の教育係を務めている古賀穀堂《こがこくどう》に引き

合わせてくれた瀧野文礼の顔を玄朴とて、もうすでに覚えてはいなかった。
――結局人と人のつながりとはそんなものだろうな――
玄朴は、取るに足らない自分の存在を改めて悟った。

玄朴は、源三郎がまだ帰ってきていない江戸番場町《ばんばちょう》の天文方役宅で、医業を開業して蘭学を教え始め、照と祝言《しゅうげん》を挙げた。玄朴は二十九歳、照は十七歳であった。祝宴の間、照の母ミツは笑みすら浮かべず、照も緊張しているのか微動だにしなかった。客人たちに玄朴は精一杯気を遣っていたつもりだったが、皆事情を知っているせいか、一見よそよそしく見えるほど寡黙《かもく》だった。姑《しゅうとめ》となったミツとは元通りとは行かないまでも、本来は優しい心根のミツは時折「いつもご苦労様です」と玄朴を労《ねぎら》う言葉をかけてくれた。夜中に往診で呼ばれて出ていく際には、「道々、お気をつけて」と、わざわざ起き出して照と一緒に見送ってくれることもあった。

翌文政十二（一八二九）年に下谷《したや》長者町《ちょうじゃまち》に移り、佐賀藩士伊東二右衛門祐章《にえもんすけあきら》の子、伊東仁兵衛祐珍《にへえすけよし》の義弟となり、伊東玄朴と名を改めた。姑ミツは玄朴と食事を共にすることもあり、生計《たつき》を担っている玄朴を少なからず尊んでいた。しかし、二月に獄中で自害した高橋作左衛門に続き、九月十一日に源三郎が同様に自害を選ぶと、姑の態度は豹変《ひょうへん》した。

「どうしてご禁制のものを長崎まで運んで渡したあなたが罪に問われずに、上役から託された品をあなたに預けただけの源三郎がこんな死に方をしなければならないのですか」

眉も目も吊り上がった姑の顔はこれ以上はない憎しみを露《あら》わにしていた。以後、姑は決してもう玄朴とは口を利かず目を合わせようともしなかった。そして、源三郎の通夜《つや》、葬儀は姑と妻がひっそりと執り行い、玄朴が墓に参るのはもとより位牌《いはい》に手を合わすことさえ拒んだ。足しげく姑と交代で食べ物の入ったお重を牢まで届けていた照は、静かに涙を流し続けていた。

シーボルトの陳述で多くの友人と彼を手伝った人々が救われていたが、自害後に死罪という裁きが下された高橋作左衛門はその家族たちまで罪を問われて遠島《えんとう》となった。片や猪俣源三郎の家族であるミツや照、玄朴にはお咎《とが》めは一切なかった。作左衛門は己の死を以って罪過《ざいか》を償《つぐな》うしかなかったが、軽輩《けいはい》の源三郎がそこまでする必要はなかったろう、あれはきっと妹の婿《むこ》になった義弟玄朴を守るために犠牲になったのだと、周囲の冷たい目が玄朴に注がれた。世間はもちろん、シーボルトを偉大な師と仰ぐ鳴滝塾での門下生たちも、佐賀藩が動いたので玄朴はお解き放ちになったのだと噂し、玄朴は自分の身を守るためにはどんなことも辞さない、シーボルト先生の爪の垢でも煎じて飲ませたいような卑怯な奴だと批判した。

玄朴は誰にも決して告げなかったが、源三郎の真意がわかっていた。

――たしかに高橋様はクルーゼンシュテルンの『世界周航記』をシーボルト先生から贈られて、返礼に日本地図を届けるつもりではあったろう。しかし、自らの決断だけでそうなさったのだろうか。義兄《あに》源三郎がシーボルト先生を讃えつつ、日々忍耐強く勧めたのではないか。義兄源三郎はシーボルト先生の施術を伴う人気を鎖国下の幕府が危険だと見做《みな》しているのに気づいていた。ご公儀は江戸参府という久々に熱い祭りを目一杯楽しんで、最も美味しい馳走《ちそう》であるシーボルト先生を堪能《たんのう》した後、無慈悲にも捨て去りたいのだということにも――。義兄源三郎が届け役にわたしを高橋様に推したのは、困窮ゆえに決して断らないと知っていて、わたしを罪人として葬り去りたかったのだろう。これには医者のわたしに期待していた父伝次右衛門への恨みに近い抗議も含まれていた。だがわたしは罪を免れてしまい、高橋様は自害されて義兄源三郎だけが残った。おそらく、義兄源三郎までは死罪にはならず、他家へ預けられて永久蟄居《ちっきょ》の身になったことだろう。だがそれではわたしに復讐することはできない。だからあのように誰もがわたしを責めたくなるような死に方をしたのだ。人々の中傷はいつか止《や》んでも、自分は生きてしまい、義兄は死ぬしかなかったという、心にぽっかりと空いた穴のような悔恨を、終生つきまとわせて離れなくするために――。

玄朴は義兄源三郎が命と引き換えに放った矢に射られて、その痛みに耐え続けるのもまた運命なのだと思った。そして、本懐《ほんかい》と定めた種痘を公のものとして立身出世を果たし、亡き猪俣の舅《しゅうと》の恩に報いなければならないと固く決意した。それには負けられない、誰にも。特に死してもなお、わたしを揺さぶり続ける義兄源三郎には――。この時、玄朴は守銭奴《しゅせんど》、金の亡者《もうじゃ》などとどれだけ世間から誤解されようが、どんな手段を用いても医者として名を成すことのみが猪俣の舅の恩に報いることであり、義兄源三郎からの死をもっての挑戦に勝つことだと心に深く刻んだ。

姑のミツは源三郎が亡くなってからしばらくは、玄朴に声をかけず、家族の皆で箸を取っている時も玄朴を一眼下にもしなかった。時折、姑が眠れぬ夜中、声を殺して泣いているのを玄朴は幸い知らずにいた。江戸本所《ほんじょ》番場町で開業して深夜の往診も辞さない上、蘭学も教えている玄朴はとにかく忙しく、日々床に就くと泥のように眠ったからだった。

玄朴は十六歳の時、漢方医古川左庵に弟子入りして漢方修業を続けて、桃林《とうりん》という名を師から貰い受けていたので漢方にも相応の心得があった。日が経つにつれ、玄朴の治療はまさに漢蘭折衷《せっちゅう》医学の実践そのものとなった。

この年、義兄源三郎の死後、馬脾風《ばひふう》（ジフテリア）が大流行した。

玄朴はほとんど家に帰ることもなく日夜市中を東奔西走《とうほんせいそう》してこの病の治療に努めた。診立ての要は偽膜《ぎまく》と呼ばれる破壊された咽喉の組織が厚い灰白色《かいはくしょく》の層となった様子であった。これが気道を覆い、呼吸ができなくなるのである。喉の痛みと咳、高熱を訴える病は風邪の他に猩紅熱《しょうこうねつ》等があり、どれもが伝染《うつ》る。猩紅熱は発疹《ほっしん》が特徴だが馬脾風でも発疹する。一方風邪による咽頭炎では喉の炎症部分に白っぽい膜がかかるが、馬脾風のようには感染部分が白く拡大し続けない。この拡大し続ける白い膜を白腐《はくふ》と呼んだこともあった。

玄朴は馬脾風が疑われる患者たちの喉の奥を診て風邪や猩紅熱と分別すると、馬脾風の患者だけを厳しく隔離した。猛威を振るい続けるこの新手の疫病の前に生還の望みは薄く、なせることは唯一つ、罹らないようにすることだけであったからだ。また馬脾風と似た他の病とでは治癒の見込みだけではなく、治癒にかかる時も異なった。風邪や猩紅熱で命を取られることはそれほど多くはないし、熱が下がって食が進むようになればほぼ治癒したと言える。ところが馬脾風の方はたとえ窒息死や失明、難聴を免れたとしても、二月《ふたつき》ほど経た回復期に心の臓を侵されて突然死する恐れがあった。このような解熱後の残酷な予後も痘瘡に似ていた。

玄朴の的確な診立てと判断によって馬脾風は押さえ込まれ、さらなる大流行から江戸市中は免れた。玄朴は押しも押されもせぬ名医との名声を得て、日々治療を乞う患者たちで門前市《もんぜんいち》をなすがごときのさらに忙しい日々となった。

こうした中で玄朴は、シーボルトやあの事件のことを忘れられた。自分と関わって死んだ舅猪俣伝次右衛門や義兄源三郎のことも――。近くで不気味な薄ら笑いを浮かべつつ眉を吊り上げている姑のことさえも――。照が自分の心の動きに気づかずにいてほしいとも念じていた。そして噂もシーボルトも猪俣家のこともただただ何もかも忘れたい、広い世間に自分を認めさせたい、そのためにはもっともっと偉くなりたいという強い思いを、玄朴はひたすら妻の若い身体にぶつけた。

この年の十二月十八日、シーボルトは帰国した。日本の地図を持ち出すことは禁じられていると知っていたはずであり、スパイの疑惑を深めるとして国外追放処分となったのである。

年が明け、長崎から戸塚静海が江戸に戻ってきた。顔を合わせたとたん、二人は号泣《ごうきゅう》しながら抱き合った。幽囚《ゆうしゅう》されながらも最後まで鳴滝塾を守った静海は、

「あれほどのシーボルト先生熱も先生が囚われ人となると蘭学も蘭方も講義が受けられないとあって、あっという間に門人たちの多くがいなくなった。何とも寂しいものだった。先生のお心もそのように見受けられた。お労《いたわ》しかったよ。シーボルト先生は、江戸参府であれほど自分に対しても、阿蘭陀国を主とする西洋についてもご公儀は好意的だったというのに、なぜこの期《ご》に及んで罪人呼ばわりされるのかと、永久追放の沙汰が出てからも疑問に思われていたようだ」

と師の胸中を語った。

「暴風雨で座礁《ざしょう》した蘭船の中から地図等のご禁制の品々が発見されて、事が露見《ろけん》したというのは真《まこと》なのか」

玄朴は訊かずにはいられなかった。あまりに都合のいい話だと思っていたからである。

「まさか。シーボルト先生が日本の地図を欲しいがために、北方に詳しい間宮林蔵《まみやりんぞう》様に手紙を出したところ、間宮様はたいそう困惑され、上役に相談した。これが事件の緒《いとぐち》となって多くの関わりがあるとされる者たちが捕らえられたと聞いている」

「だとしたら蘭船の積み荷が禍《わざわい》となったのではなく、江戸での間宮様の密告が発端だな」

座礁した蘭船からは日本地図だけではなく、眼科の幕府侍医土生玄碩《はぶげんせき》がシーボルトに贈った三つ葉葵の紋服一式も見つかった。拝領品を外国人に贈るなどというのはもっての外《ほか》であるとして、幕府侍医にまで上り詰めていた玄碩は死罪こそ免れたものの、身分は剝奪《はくだつ》されてしまった。玄朴は江戸参府の折に会った、きらきらと若者のように目を輝かせていた玄碩の熱心な表情が忘れられなかった。咄嗟《とっさ》に着ていた三つ葉葵の紋のついた紋服を脱いで差し出したことも。シーボルトは小袖《こそで》姿になった玄碩を見てはしゃぎ気味に微笑んでいた。二人とも無邪気を通り越して無防備過ぎたのだと玄朴は苦く思っている。

「高橋作左衛門様と間宮様とはお考えが異なり、かねてより確執《かくしつ》があったらしい。シーボルト先生がおまえが届けた高橋様からの日本地図の返還を拒んだので先生自身も処分の決定を待つ身となった」

「全ては仕組まれていたのだ。もてはやされ過ぎてしまっていた先生には、微塵《みじん》の警戒もなかった」

玄朴はやや興奮気味に断じた。

「たしかに。シーボルト先生の知己《ちき》ではない、ご公儀の多くの侍医たちや天文方、普請役《ふしんやく》の最上徳内《もがみとくない》様、前当主の薩摩侯、中津侯まで大勢、訪れていた。前薩摩侯など次期当主と言われている斉彬《なりあきら》様と正反対の蘭学嫌いと言われているにもかかわらず、あのようにしげしげと通ってきておられた。この方たちは先生の江戸滞在中、まるで花に群がる蜜蜂のように貪欲に、先生から西洋の知識や医術を吸い上げ続けたのだ。長崎屋に詰めていた役人たちも当然、遠慮のない訪問客たちと先生とのやりとりや贈答品を見張っていたはずだ。甘い汁を吸う時は見逃しておいて、後で罪だ、罪だと言って騒ぎ立てるというのは酷いな」

と静海も怒気《どき》を込めた。

「先生に恩恵を蒙《こうむ》ったのはあの方たち、追い詰めたのもあの方たちということになる。しかし、それが今のこの世の中というものだ。何しろ国を閉ざしているのだから国禁は国禁」

玄朴は冷静な物言いをして、

「ところでシーボルト先生は我らに医術をお教えくださる他は常に動植物の調査等にお忙しかった。江戸参府の折には途中、動植物以外にも通りかかった村や、宿場の様子、街道等にも並々ならぬ興味を抱いて熱心に書き留められていた。これらが

ともてなしができたことは思えない。滞在中、来客にあれほどのもてなしができたことも。そして、今では先生の鳴滝塾の蘭学ご指南が日本の本や資料からの和文蘭訳一辺倒であった理由もわかったような気がする。中には新井白石《あらいはくせき》の『南島志』（琉球志）を高野長英が蘭語訳したものもあった。琉球も北方の樺太や蝦夷同様、世界中が注目している」

と続けた。この時、玄朴は「コレスポンデントヴェルデ」（内情探索官）とシーボルトが自称したという高野長英の言葉と、高野長英の蘭訳論文『日本に於ける茶樹の栽培と茶の製法』での言葉を思い出した。

「国を開け。俺はそのために蘭学という切れる刀で徹底的に闘ってやるぞ。広い視野と見聞だけがこの国の農民たちや飢える者たちを救うのだ。おい、元百姓、そう思わないか」

玄朴を辱《はずかし》めるようだった長英の言葉の真意を——。

三十一歳になった玄朴は照との間に長女まちを授かった。玄朴は父親になったことで、多少は家族への責任を感じたが、特別強い感情は湧いてこなかった。ただ、おまちを抱いているときの照は、夫婦になって初めて穏やかな空気をまとっているように思えた。

すでに玄朴は江戸で開業していた戸塚静海と同様に人気の医者になっていた。一年前の馬脾風禍での活躍が人々の口から口に伝わったのである。戦乱のない太平の世を享受《きょうじゅ》している者たちにとって恐ろしいのは天変地異と疫病であった。その疫病の広がりを抑えた医者はまさに天下の名医ともてはやされ、富者たちは、大したことのない身体の不調でも玄朴を頼った。

結果、朝から晩まで迎えの駕籠《かご》を乗り継いでの往診が続く日々を過ごしていた。その評判が目に留まり、天保《てんぽう》二（一八三一）年には、前年に佐賀藩藩主の座に就いたばかりの斉正に、鍋島家の一代士（一代きりの士分）、七人扶持《ぶち》にとりたてられて、佐賀藩侍医となった。

斉正は文政八（一八二五）年に将軍息女盛姫《もりひめ》を娶《めと》りその二年後の文政十（一八二七）年に松平姓を与えられ、かつ将軍家斉から一文字賜わり、貞丸から斉正に改名していた（明治維新後、直正《なおまさ》と改名）。

玄朴の栄進は斉正の教育係であった古賀穀堂による推挙《すいきょ》と思われた。そのように玄朴が思ったのは、古賀穀堂とは浅からぬ縁があったからである。

玄朴には猪俣家の人々にも、また親友の静海にも言えない秘密を抱えていた時期があった。それは佐賀藩の長きに渉る長崎警備の歴史とも関わりがある。寛永《かんえい》十九

（一六四二）年に三代将軍徳川家光《とくがわいえみつ》は長崎警備の命を初代佐賀藩主 鍋島勝茂《かつしげ》に下した。以来鎖国体制下でヨーロッパ船が来航する唯一の港である長崎港の警備は国防上の重要任務であり続けた。莫大な国防費を捻出するため佐賀藩が裏では密貿易を行っていることが、半ば黙認されていた。密貿易は五島《ごとう》沖で行われていて、量が少なくしかも高価な、高麗人参《こうらいにんじん》、麝香《じゃこう》、大黄《だいおう》などの薬種《やくしゅ》と有田焼《ありたやき》の交換が主であった。

これに玄朴が関わるようになったのは文政五（一八二二）年、二十三歳で佐賀蘭学の祖島本良順《しまもとりょうじゅん》の門下生になったことからだった。良順は佐賀藩儒学者古賀穀堂と交友が深かった。穀堂は幕府の学問所の儒官古賀精里《せいり》の長男で父親に勝るとも劣らない、広い視野と卓越した世界観、忠義の持ち主であり、佐賀藩の教育改革を推し進め、さらには教育係として世子《せいし》貞丸に蘭学の必要性を説き、西洋技術への開眼を促していた。その古賀穀堂が島本良順を通して玄朴を五島《ごとう》沖の大事のお役目に抜《ばっ》擢《てき》した。良順は、

「おまえが金に難儀していることは察していた。これは大事なお役目である上、おまえには過ぎるはからいを受けることができる。それにもう話してしまった以上、おまえには引き受けるほかはない。もし断りでもしたらわたしが腹を切ることになる」

と覚悟の様子で玄朴に告げた。

五島沖の大事なお役目が密貿易の立ち会いで、露見すれば死罪は間違いないとわかってはいたが、断れない話である上、これで生家の母や弟が飢えずに済むのだと玄朴は自分に言い聞かせて首を縦に振った。

「身に余る有難いお役目でございます」

こうして文政八（一八二五）年、一月、玄朴は白石鍋島藩の藩医瀧野文礼の義弟となり、瀧野玄朴と名乗った。白石鍋島藩は、初代鍋島藩主勝茂の八男・直弘《なおひろ》を祖とする鍋島氏一門の家系で、白石に館を構えたことから白石鍋島家と称した。佐賀藩は密貿易の密命を与えた玄朴を親戚筋の藩に預けたことになる。したがって、白石鍋島藩では秘密裡に五島沖に力を貸すこととなり、白石鍋島藩あるがゆえに佐賀藩の密貿易は安泰となった。

具体的には玄朴は医術を施すのではなく、密貿易の折の生薬《しょうやく》鑑定の役目を担っていた。高麗人参、麝香、大黄等の品質に見合った値段を決めて、先方と駆け引きするには医術の知識が必要だったからである。玄朴はこの役目をよくこなした。はからいは生家への仕送りに充《あ》てることができ、有難かったが増えることはなかった。そのことが不満なのではなく、

――ご公儀の目をこんな形でしか欺《あざむ》くことができないのか――

仕方のないお役目ながら時折、玄朴はたまらなく自分が情けなくなった。

藩の意向でシーボルト事件へのお咎めがなかったどころか侍医の一人に取り立てられた玄朴は、自分でも驚くほど冷めていた。あれほど皆にもてはやされ、栄華を極めたシーボルトが、呆気なく追い払われるのだ。学問や医術の力だけでは、新しいものを広めることはできない。学問や医術を支配する者たちのところまで近づかなければ、いともたやすく努力は踏み潰されてしまうのだと玄朴は心に強く感じていた。

——とかく人の運はどう転ぶかわからない。理想の実現は金と権力という無慈悲な現実と共にある。今後自分は穀堂様と佐賀鍋島家によってどのような駒に仕立てられていくのだろうか。まだ、佐賀鍋島家の侍医のうち最下層の地位を得ただけだが、運は得た。これは貴重な一歩だ。これなくして先はない。この先はもう決して安売りはしたくない——

そのためには、医者であることの恩恵を最大限発揮して富を得るだけではなく、政《まつりごと》を牛耳《ぎゅうじ》る身分の高い人たちと縁を持つことが必須だと玄朴は悟った。

〈つづく〉

遠楓《とおかえで》ハルカの捜査日報

道頓堀で別れて

後編

松嶋智左
Matsushima Chisa

「班長」

後ろから鶴見《つるみ》が声をかけてハルカに自分のスマホを差し出した。響子《きょうこ》は少しだけ顔に緊張を走らせ、ハルカがスマホの画面をスクロールしながら説明する。

「所轄《しょかつ》からの連絡です。大阪中央署の近辺の防犯カメラを精査するようお願いしていたんですが、その結果が届きました」

「また防犯カメラですか？」

「そうです、英《はなぶさ》さん」ハルカが顔を上げて、にっと笑う。「式典が始まる前、制服を着たまま、外に出られましたか？」

響子の顔に動揺した表情が過《よぎ》る。すぐに消えて、不思議そうに目を細めた。

「昼過ぎに制服を合わせたあと、時間待ちをするあいだ署長と歓談の時間が設けられてたと思いますけど、英さんはウエスト周りが気になるいうて控室《ひかえしつ》にこもられた。マネージャーの緒方《おがた》さんは、なんやお使いに出てはったそうで、お一人の時間があったそうですね。カメラはそのとき、署の裏口から出て行かれる英さんの姿を捉《とら》えていました」

「まさか。それ、本当にわたしですか？　署の方の間違いじゃないんですか」

「カメラには後ろ姿しか映っていませんので、確かに、大阪中央署の警官の可能性もあります」

「そうでしょうね。だって、わたしが着ているこの制服は、本物の警察官の制服なんですものね。見分けはつかないでしょう？」

「そうなんですよ。なんでそないなものをイベントに使うかなぁって、日ごろから疑問に、あ、いや、それはひとまず置いておいて」とハルカはコホンとわざとらしく咳《せき》をする。

「ただ、署から少し行った先の、このマンションへ行くのなら必ず通ると思われる路上のカメラに、制帽を目深《まぶか》に被った制服警官の姿が映り込んでいたそうです」

「顔が見えていたということですか？」

「あ、いえ、さすがにそれは無理でした。隠すように俯《うつむ》きながら歩いていましたから」

そう、と響子は少しだけ頬《ほお》を弛《ゆる》めた。

「ですけど、それが本物の警察官やないということは、はっきりわかります」

え？　という顔をする響子。ハルカが映像の映ったスマホを見せる。

「これがそうです。大きくしますね、ほら、ここ、見えます？」

響子が体を寄せて、ハルカの手元を覗き込む。わからない、という風に首を振った。

「これです。これ、階級章というんですが、警官の階級によって色が変わるんです。佐藤《さとう》くんのような下《した》っ端《ぱ》は、銀色部分が多い。久喜《くき》さんのような警部補は少し金色が入ります。ほら、見てください。この警官、キンキラキンのをしてますでしょ。この辺でこんな階級章を付けられるのは大阪中央署の署長だけなんです。最近は女性署長もいますが、ご存じのように、ここの署長は小太りのオッチャンです」

ハルカはスマホを鶴見に返して言葉を足した。「ただし、今日に限ってですが、この階級章を付けた人物はもう一人存在してました」

響子の目尻に力が入る。視線が胸元に落ちないように堪《こら》えている風だった。制服姿の響子の胸元には、ハルカがいうところの金色に輝く階級章がある。

「英さん、どちらに行っておられたんですか？」

ハルカが優しく問うのに、響子は細い指を震わせながら顔を横に向けた。長い沈黙のあと、絞り出すようにいう。

「悪戯《いたずら》を」

「はい？」

「悪戯をしてみようと思ったんです。せっかく警察官の制服を着させてもらったのだから、街に出て本物のふりをしてみようと。だけど、時間も余りなかったですし、わたしだと気づかれた気もしたので、すぐに引き返してきました」

「なるほど。それで月岡《つきおか》さんのマンションへは」

「もちろん、行っていません」

「やっぱり。実は、わたしもそんな気がしてるんです」

前回までのあらすじ

大阪中央署の一日署長に選ばれた女優の英響子は、防犯パレードの最中に、自分の夫がマンションから転落するのを一緒にいた署員と目撃する。夫を亡くした響子のもとを、府警の遠楓ハルカが訪れ、夫の部屋の状況から、これは響子が転落を目撃させるために計画した犯行だと推理する。しかし響子のアリバイは完璧だった――。

「はい？」

「今もカメラや周辺の目撃情報を調べてもらっていますが、出てこえへん気がします。たとえ出てきても、それが犯行を裏付けることにはならへんし」

響子の黒目が戸惑うように揺れた。ほんの一瞬のことで、すぐに強気の光が宿る。

「それじゃあ、もうよろしいですか。わたしを追いつめるものはなにもないということですね。ホテルに帰らせていただきます」

すっと立ち上がる。

「はい、どうぞ」

誰かが声をかけたのか、廊下を走る音がしたと思ったら、リビングのドアが開いて緒方が現われた。響子が頷きながら近づく。

「あ、緒方さん」とハルカが声をかけるのに響子も足を止めた。

「念のため教えておいてもらえますか」右足をソファの上にあげ、横向きに背もたれ越しに顔を向けるハルカを、緒方は不快そうに見つめる。

「なんでしょう？」

「事務所の顧問弁護士さんの名前です」

「弁護士の？」

「おられますよね。芸能プロダクションはどこも顧問弁護士さん雇ってはるって聞いてます」

「それは、もちろんおりますけど」

「ホンマに、月岡さんとの離婚の件で相談を受けてなかったのか確認したいんです」

緒方が顎《あご》をくいと上げ、その必要はありません、という。

「響子から離婚の話を聞いたとき、弁護士を入れた方がいいと何度も申しましたが、必要ないといいますので一度もご相談はしていません」

マネージャーのわたしがそういうのですから間違いないです、といい切る。

「なんででしょうね」

「はい？」

「月岡さんは離婚を承知しておられなかった。揉《も》める案件やのに、どうして弁護士さんを立てられへんかったんか」

「え。それは」緒方が困ったように響子の顔をちらりと見る。

「離婚したくてもできなかったとか」

「どういう意味ですか」と緒方が気色《けしき》ばむ。

「正式に離婚調停を始めると、都合の悪いことが出てくる、そう月岡巧《たくみ》さんに脅《おど》されていた、とか」

なっ、と緒方が顔色を変えた。

「そ、それってどういうことです。いったいなんの話をされているんです？」

響子は氷のように無表情だ。そして氷のまま微笑《ほほえ》む。「緒方さん、こちらの刑事さんはね、わたしが夫を殺したと思っておられるのよ。それで、その動機が、離婚をしたくても脅されていたためできなかったからと、そういわれているの」

でしょう？　と氷の笑みがハルカに投げられる。

緒方はこちらが驚くほど大きく、口をあんぐりと開けた。一拍置いたあと、顔を真っ赤に染めると両手を拳《こぶし》にして、わなわなと震わせた。

「なんですって。なんてことをおっしゃるの。響子は、月岡さんがその、殺害されるところを船から見ていたんですよ。しかもあなた方のお仲間の警察官と一緒に。それなのに、なにをいうやら、全く。やはり大阪の人というのは、好き勝手なことをいうばかりで考えなしなんですのね」

ハルカがちょっと反応する。「それって月岡さんもそんな感じやったということですか。お嫌いでした？」

緒方の顔色が赤から青に変わる。ハルカが、グリコのネオンみたい、とぽつりと呟《つぶや》くのを佐藤は必死で聞こえないふりをする。

緒方はふんと鼻息を漏らすと、「好きなわけないじゃないですか、あんなロクデナシ」と案外と正直に答える。そして労《いた》わるような目で振り返ると、「響子、大丈夫よ、今度こそ弁護士を頼みましょう。もうひと言も話さなくていいからね。いいわね、なにも答える必要はないから。すぐ事務所に連絡するわ」

そういってバッグからスマホを取り出した。響子がやんわりとその手を押さえる。

「慌てないで、緒方さん。そんなことあとでいいわ。明日からのスケジュール調整で事務所は今ごろ、大変な思いをしている筈《はず》よ。これ以上、余計なことで面倒を増やさせたくないわ」

響子が腕時計を見て、「ほら、もうすぐ午前零時よ。疲れたわ。とにかくホテルに戻りましょう」という。でも、と諦め切れない様子の緒方。その背を押すようにして響子がリビングのドアに向かい、手前でふとハルカを振り返った。

「警部さん」そういってじっとハルカを見つめる。「お好きなだけ疑っていただいて構いませんけど、とにかく、まずはそのトリックというのをきちんと説明できてからにしてもらえませんか？　そうでなければ、わたしであれ、他の誰であれ、これ以上、ご質問にお答えするつもりはありませんので」

ハルカが松葉杖を抱きかかえて首を傾げる。「トリックですか」

「さようなら、綺麗な刑事さん」

二人が廊下に出たとき、玄関から駆けてくる足音が聞こえた。

「失礼」

そういって響子と入れ替わりに玄《げん》が顔を出す。そういえば、ずっと姿が見えなかったな、と佐藤は思う。

「班長」と玄が息を整えながら報告する。「今、組対《そたい》の連中を叩《たた》き起こして調べさせています」

「そうなん？　ありがとう、助かるわ、玄さん。やっぱこういうことは、刑事部に長くいる玄さんにしか頼めへんわ」

「いやあ、あそこにはちょっとばかし貸しもありますしね」

「組対って？」佐藤は我慢しきれず言葉を挟む。玄が目元を弛めながら、子どもに教えるような口調でいう。

「芸能界なんてのはな、昔ほどではないにしても、反社がからんでたりする。薬関係の事案が一向になくならんのは、連中にとっていい買い手がいるからや。班長にいわれてそこからなんか情報が得られんへんか、探ってもらうことにしたんや。今なら、この辺りはまだ宵の口や、なんか出てくるかもしれん」

「月岡が反社と関係があったということですか」

「まだわからへんよ。ただね、トリックがねぇ」とハルカが松葉杖を両脇に挟んで、立ち上がる。「佐藤くんと同じで、情けないけど思いつかへん。どうにも無理っぽいんよね」

「え、諦めるんですか。いや、まだこれからじっくり考えてみればなにか思いつくかも」

「うーん、そういうのあかんねん。わたし、どんな道もショートカットで行きたいタイプなん。玄さんの線の方が早そうな気がする。そっちに集中しよう」

「そ、そんなぁ」

「ま、とにかく、ひとまず大中《だいちゅう》に戻ろっか。捜査本部の準備もあるし、一旦、仕切り直し」

「わかりました」「了解」「おっす」

「佐藤くん、返事は?」

「あ、は、はい」

そういって素早くリビングの戸を大きく開く。廊下の先に目をやると、玄関扉が音もなく閉まりかけていた。

＊

船が波しぶきをあげる。高速船だから勢いがある。窓がなければずぶ濡れになっていたことだろう。本当ならデッキに立って空を見上げてみたかった。あの映画のように。

響子は窓から徐々に明るい青に色を変えてゆく空を見つめた。そのなかに白い機体がひとつ。今朝一番に関西国際空港から出発した機だ。窓越しに手を振って別れを告げる。涙はない。口角が持ち上がり、安堵に目じりが弛んだ。

響子と気づいた人の囁《ささや》く声が聞こえる。周囲の座席から視線が注がれる。そのなかには、マンションからずっと尾行《びこう》してきている刑事のものもあった。

大阪市内のホテルに戻った響子は、緒方と別れて部屋に入ると、まんじりともせずに夜明けを待った。そして人目を避けてホテルを抜け出し、神戸空港に向かった。飛行機で逃げるのだと思っただろう。それが高速船に乗船したものだから、慌てて乗り込んできた。狭い船だ。奥で体を縮めているのを見たときはさすがに気の毒に思え、なるべく振り返らないようにした。

　高速艇は関西国際空港に向かっている。

　海外逃亡。恐らく刑事たちの頭の中には、そんな恐れが蛆《うじ》のように湧いている筈だ。

　響子は白い機体が視野から消えるまで手を振り続けた。船に乗ることまでは想定していなかったけれど、神戸から関空《かんくう》に向かう船があると知って、『柔らかに燃えて』のラストシーンが思い浮かんだ。あのときと同じことを、今度は演技でなく本気でするのだ。そう思うと、もういてもたってもいられなくなった。

　アナウンスが聞こえ、響子はコートを手に取る。およそ三十分程度の船の旅だ。関西国際空港ポートターミナルの桟橋《さんばし》に船がゆるやかに寄ってゆく。近づくのに合わせ、響子の目が少しずつ見開かれていった。

　桟橋の端には松葉杖を突いた女の姿があった。隣には大きな若い男が寄り添うように立っている。一瞬、言葉を失ったが、すぐに笑みに変えた。恐らく、響子を尾行していた刑事が連絡したのだろう。

　乗客が次から次へと下船する。最後に響子が降り立った。

「良い船旅でしたか」

ハルカの言葉に思わず苦笑《にがわら》いする。ただの連絡船だ。

「『柔らかに燃えて』のラストシーンみたいですね。神戸に向かわれたと聞いて、船に乗られるのやと思い、こちらで待たせてもらいました」

「あら。警部さんもあの映画を見てくださったのね」

「はい。何度も」

「ありがとう。でもデッキのない高速船だから、ちょっと雰囲気が出なかったわ」

「そうでしょう。見送った機上にも、別れを惜しむ人はおりませんしね」

え。響子は声にない声を出していた。今、なんて?

「五時過ぎの関空発台北《タイペイ》行きの機にＹ口組若頭《わかがしら》野島士郎《のじましろう》は搭乗《とうじょう》しておりません。空港に現れたところを、ひとまず公務執行妨害で逮捕しました」

響子の手からコートが滑り落ちた。大きな若い刑事がすかさず拾い上げる。

「どうして」

ハルカがゆっくり瞬《まばた》きした。

「最初からトリックなんてありえへんと思てましたから。やたらトリックトリックとおっしゃってましたけど、事件は映画やテレビのなかで起きたんやないです。それやのに一番アリバイの確かな筈の英さんが一番の容疑者になるよう、誘導してはるように思えました」

浮気に気づいていないふりをした、弁護士のことを尋ねたら今回の事件のためのものと勘違いした、スウェットの色を間違えた、月岡の背中にヒールの跡《あと》を残した、そしてイベント直前に抜け出して制服でウロウロするようなおかしな真似《まね》をした。なにより、ハルカの言葉のひとつひとつに動揺する素振りを見せた。女優なのにと、ハルカがひとつひとつ丁寧に羅列する。

「いかにもそこを突っ込んでみてといわんばかりのお話しようで、あえて突っついてみたら、案の定、とってつけたような返答をされる。怪しい雰囲気がそこはかとなく滲《にじ》み出ていました。なんでかな、と考えたら、答えはひとつしかありません」

とハルカが防寒用のぶ厚いコートの襟《えり》のファーのなかに首を沈めた。

「月岡巧さんを殺害したのは妻である英響子やと思わせることで、別の人物への疑いを排除しようと考えたから。万が一、英さんが逮捕されることになったとしても、トリックがどのようなものか判明せえへん限り、裁くこともできひんし、検事は送検自体許さへんでしょう。佐藤くん」

ハルカが目で合図し、佐藤と呼ばれた刑事が頷いてコートを響子の肩にかけた。

「そうとわかったら、あとはその人物が誰か捜《さが》すだけです。一番最初に疑ったのは、マネージャーの緒方さんでしたが、もし英さんが脅されて離婚でけへんからというのが動機なら、弁護士を使わないことに不満を漏らしはったのはおかしい。なにより、月岡さんを拘束し、窓から、恐らくガラス越しに見えないよう屈《かが》んで足を持ち上げて突き落としたのでしょうが、そうであれば女性には難しい。犯人は男性で落下させたタイミングもばっちり。これほど手際良く、荒事を冷静に行える人間は限られる」

「そんなのただの憶測でしょ」

ハルカが小さく首を左右に振る。「いいえ、ちゃんと防犯カメラに映ってました」

「カメラ？」

「早朝、響子さんと思われる女性が一人、裏口の非常階段に設置されたカメラに映り込んでいます。その後、そのカメラは壊されてしまいましたけど」

「どういうこと？」

「響子さんは朝方、裏口から一人で部屋に入ったように見せかけた。夜の街道頓堀《どうとんぼり》の朝は、墓場かと思うほど人けもなく、静かですしね。そして野島がカメラを壊し、人目を避けて非常階段を上った。鍵を開けたままの玄関から部屋に侵入。お二人で月岡巧さんを襲撃、拘束した。船乗り込みの直前に襲撃せんかったのは、なにか手違いが起きてはいけないから。必ずあなたに目撃してもらわんといかんから慎重に慎重を期した。その後、野島はどうしたか。響子さんの船がマンションの下を通りかかるまで、朝からずーっと部屋で待っていたんです。証拠となるものを残さないよう、まんじりともせずに」

　響子は信じられないという風に首を振ってみたが、ハルカはそのまま言葉を続ける。

「午後六時十五分、野島は船が通りかかるのを確かめて窓から月岡さんを突き落とし、その後、玄関から堂々と出て行った。玄関側のカメラは正常に稼働していました。住民の出入りのほか、宅配の人間が出て行く姿が捉えられています。夜の道頓堀沿いです。ただですら人が多くなってるところに英響子を見ようと、川の両岸は人だらけ。非常階段を使って逃げる姿を万が一にでも誰かに見られてはいけない。野島は事前に用意していた宅配の制服に着替え、キャップを目深に被り、住民に紛れて出て行った。我々はその制服の宅配業者に確認をし、あのマンションへ午後六時前後、訪れたかどうかを問い合わせました。結果、ひとつもありませんでした」

「ああ」

「組対の人間がカメラを確認し、人着《にんちゃく》から野島ではないかとの疑いを抱きました。すぐに本部や大阪中央署の署員を動員し、各空港や野島の住まいに近い高速入り口や駅を張らせたんです」

　吹き寄せる潮風に、響子はあえて顔を向ける。頬が冷たく強張《こわば》っていた。

「あなたがここにいたのは、偶然？」

「いえ。逃亡するなら国外やと思いました。電車やバスでは防犯カメラで追跡される可能性がある。国内にいる限り、安全とはいえないでしょう。わたしと部下の会話から、警察の捜査が別の人間にまで広げられるかもしれへんと思ったあなたは、すぐに逃げるよう野島に連絡された。それもできる限り早く、と。一番早く国外に出るんやったら、この関空からですわ。我々にとってラッキーやったのは、二十四時間発着空港とはいえ、今日、深夜から朝の五時まで出発する飛行機がなかったこと。もし未明に出る機があれば、取り逃がしていたかもしれません」

そうなの、と響子は目を伏せる。髪が乱れるのを手で押さえた。

「お付き合いされていたんですか」

ハルカの問いに虚《うつ》ろな目を向ける。

「ええ。今でこそ、ベテラン女優とかいわれていますが、わたしをこんな風にしてくれたのは、野島です。若いころに知り合い、野島はわたしを応援するといって、映画の主役を取ってくれました。どんな手を使ったのかは想像できましたけど、脚光を浴びたい、有名になりたいと渇望《かつぼう》していたわたしは、黙って受け入れました。それからずっと野島とは関係が続いていました。でも」

「はい?」

「最初は打算でしたが、いつの間にか本当に野島を愛するようになったんです。これは本当。あの人はずっと、陰に隠れて決してわたしの邪魔にならないように振舞った。そして、月岡に脅されていることを告げると、自分がなんとかするから心配いらないといいました。そんな野島にわたしは手伝うといったんです。先ほど、早朝にわざわざマンションに出向いて準備をしたのは、直前に手違いが起きないようにするためといわれたけど、それだけではないの。二人でしたかったからなの。野島とわたしの二人で」

「そうですか」

ハルカがちらりと後ろへ視線をやり、合図するのがわかった。二人の刑事が前に出て、女性警官が響子の隣に立った。

「ここは冷えます。行きましょうか」

ハルカが松葉杖を突く。その動作を見つめながら、ハルカのスピードに合わせるように響子は歩き出した。

「警部さんは、最初から気づいておられたようですね。わたし、どこがいけなかったんでしょう」

松葉杖を止めて、つかの間、宙を見た。

「トリック風の残骸《ざんがい》もそうですけど、それより前、わたしが窓の近くに怪しいものは見かけませんでしたかと尋ねたことを覚えたはりますか」

「ええ」

「響子さんは、はっきりと否定された。誰もなんにも見てないと」

ハルカが振り返って首を傾けた。

「変やなぁ、と思いました。その質問をするまで、わたしは響子さんを疑うような失礼ないい方をし続けてました。それなのになんにも見てないとはっきりと即答された。嘘でも、なにか見えた、影のようなものがあったとかおっしゃれば、自分への疑いが薄まるとは考えへんかったんですか。わたしやない、わたし以外の誰かが月岡さんを突き落としたんやと本気で思っていたなら、人は見ていないものでも見たと思い込んだりするもんです。ましてや、響子さんはベテラン女優です。偽《いつわ》りの証言を真実に、刑事たちに思わせられたのやないでしょうか。もちろん、わたしは別ですが。あなたは普通の人とは違う。英響子は女優です。なんで得意の芝居をしてみせへんかったのか、それが不思議でした」

響子は息を呑《の》み、ほんのわずか眉根を寄せた。

「そう、か。そうよね、そこだけわたしは芝居をしなかった。そこだけ」

「ええ。人影があったと絶対にいいたくはなかったんですよね」

響子のために部屋に籠《こ》もって、しくじらないよう息を潜めながら辛抱強くそのときを待っていた男。響子にだけ見えていた姿だったから、口にできなかった。

「やっぱり、わたしは女優失格だわ」唇を震わせ、指先で目尻をぱっと拭う。

ハルカは微かに目を細めただけでなにもいわなかった。


サイレンはなく、赤い回転灯だけ点《つ》けてパトカーは関西空港連絡橋を渡って行く。朝陽を浴びて橋も第一ターミナルも飛行機もみな金粉《きんぷん》を纏《まと》ったように光り輝いていた。空港島を取り囲む海面は、煌《きら》めく波光を惜しげもなく見せている。風は冷たいが潮の香りに満ちていて、佐藤は思わず大きく息を吸い込んだ。

「佐藤くん」

「あ、はい」慌てて隣を見る。

「戻ったら報告書よろしくね」

「わかりました」

「昨日のうちに片付けてたら日報も一件ですんだのに」

「はあ」

事件解決の最短記録になったかもしれへん、となおもぶつぶついう。

「でも、僕は久々、関空にこられて良かったです」

「そうお」

あ、そうかとハルカが松葉杖を振り上げる。

「東京の彼女との遠距離恋愛がなくなったから、空港にくることもなくなったんやね」

「は、班長。一度、お尋ねしたかったんですが、どうして僕が、その、別れたことをご存じだったんですか」

ハルカが、にたぁと笑う。そして、「あーさぶ。さあ、はよ帰ろ、帰ろう」と背を向けると、松葉杖を凄《すご》い勢いで繰り出し始めた。その小さな背いっぱいに白い陽の光が注がれている。佐藤は目を瞬《しばた》かせたあと、「危ないですよ、班長」と叫びながら、あとを追った。


〈了〉

おいち不思議がたり

誕生篇

第八回

あさのあつこ

Asano Atsuko

謎に絡《から》む謎（承前）

ずんと重い音がした。

いや、実際にはしなかった。おいちが勝手にそう感じただけだ。〝ずん〟と腹の底に響《ひび》いてくる幻《まぼろし》の音を聞いた……気がした。

その音と一緒に、おうたが表に出てくる。

ずん、ずん、ずん。おうたの一歩ごとに、幻の音が響いてくる。

こういうのを、きっと、迫力と呼ぶのだろう。

「あんたたち、ただじゃおかないよ」

土埃《つちぼこり》の中に転《ころ》がっている男たちを見下《みお》ろし、おうたが腕を組む。

「ここをどこだと思ってんだい。八名川町《やながわちょう》の『香西屋《こうさいや》』だよ。わかった上で、狼藉《ろうぜき》に及んだのかい。え、どうなんだ」

ずん。腕を解《ほど》いてまた一歩、前に出る。

男たちは尻《しり》もちをついた恰好《かっこう》のまま、後退《あとずさ》りした。

「まだお天道《てんと》さまが空にいらっしゃるってのに、娘を勾引《かどわ》かそうとするなんて、どういう料簡《りようけん》なんだい。しかも、『香西屋』の中でね。えぇ？　なんなら、あたしがゆっくり訊《き》いてやろうじゃないか」

男の一人が頭と手を同時に横に振った。

「い、いや。お内儀《かみ》さん、ち、違います。おれたちは、ただ頼まれて……」

「はぁ？　頼まれて勾引《かどわ》かしの片棒を担《かつ》いだってわけかい。わかった。これから、番所に行こうじゃないか。遠慮《えんりよ》は無用だ。あたしが引きずってでも連れて行ってやるよ。さあ、お立ち」

おうたが男の胸倉《むなぐら》を摑《つか》む。

「いや、いや、ま、待ってくださいって。ほんとに頼まれただけなんで。おれたち、何にも知らなくて……あっ、おい、待てよ」

男が叫《さけ》ぶ。もう一人の男が起き上がると、そのまま逃げだしたのだ。おうたは手を放し、からからと笑った。

「おやまあ。薄情《はくじょう》なお仲間だねえ。しかたない、あんただけでもお縄《なわ》になってもらおうか。それとも、あたしが取り調べてやってもいいかねえ。あたしは、お奉《ぶ》行所《ぎょうしょ》みたいに温《ぬる》くはないから覚悟おしよ」

「ひえっ、ご勘弁《かんべん》を」

男はさらに叫び、おうたの手を払うように腕を振り回すと、走り去った。

「ふん、なんだい。からきし意気地《いくじ》がないやつらだよ。あら、やだ、みなさま、とんだところをお見せしましたねえ。ほほほ、破落戸《ごろつき》連中がいちゃもんをつけてきたので、ちょいとお灸《きゅう》をすえてやりましたの。ほほ、わたしとしたことがはしたない。ほほほ」

何事かと集まっていた野次馬《やじうま》たちに、おうたが愛想《あいそ》笑いを向ける。野次馬の中からは「よっ、さすがお内儀さん」と声が飛び、手拍《てば》きまで起こる。

「もう、止《や》めてくださいな。お恥ずかしい。ほほほ。あら、おいち」

おうたが手招《てまね》きする。

「おいで、おいで。ほら、こっちにおいでったら」

「伯母《おば》さん、あたし、犬の子じゃないんだから、そんな呼び方しないでよ」

「おまえは、犬じゃなくて狸《たぬき》の娘だろ。薬草塗《やくそうまみ》れの大狸のさ」

「父さんもあたしも人です。それより、どうしたのよ。今の大立ち回りは何事？」

「何事どころじゃないよ。大変なんだよ。塾生さんが連れ去られようとしてたんだからね」

「ええっ、じ、塾生って誰が」

「和江《かずえ》さんだよ。ともかく、お入り」

　手首を摑まれ、引っ張られる。いつもなら「伯母さん、力が強過ぎるって」とか「手首が折れちゃうよ」とか冗談《じょうだん》混じりの文句《もんく》を言うところだが、今日は口が開か

前回までのあらすじ

おいちは、江戸深川の菖蒲《しょうぶ》長屋で医師である父・松庵《しょうあん》の仕事を手伝いながら、石渡塾《いしわたじゅく》に通っている。そして飾り職人の新吉《しんきち》と結婚し、子供を宿す。ある日、六間堀《ろっけんぼり》で若い男の他殺体が見つかる。男の懐《ふところ》からは、新吉が通う「菱源《ひしげん》」の印が入った鑿《のみ》と風鈴《ふうりん》が出てきた。一方おいちは、石渡塾で共に学ぶ和江《かずえ》が血飛沫《ちしぶき》を浴びている幻《まぼろし》を見てしまい、不吉な予感に苛《さいな》まれる。そんな折、瓦葺《かわらぶ》き職人・平五郎《へいごろう》が同じような手口で殺される。おいちが『香西屋《こうさいや》』へ行くと、伯母のおうたの荒々しい声が聞こえてきた。

ない。代わりのように、鼓動《こどう》が速くなっている。

和江さんが？　連れ去られそうになった？　え、まさか……。

店を抜け、廊下を歩き、離れに着くまで、おうたは手首を握ったままだった。それでも、足取りがゆっくりなのは、おいちの身体《からだ》を慮《おもんぱか》ってくれているのだ。伯母の心遣いは嬉《うれ》しいけれど、焦《あせ》りの方が強い。

「伯母さん、和江さんは大丈夫なの？　連れ去るってどういうこと、家の中にいたんでしょ」

「詳《くわ》しいことは、あたしもよく知らない。けど、ちょっと厄介《やっかい》な騒ぎになりそうだよ」

ため息を一つ吐《つ》くと、おうたは離れの障子《しょうじ》に手を掛けた。

「おいちがまいりました。戸を開けてもよろしいですか」

「はい、どうぞ」

明乃《あきの》の声が答える。心なしか元気がない。

部屋の中には、明乃、美代《みよ》、塾生三人が座っていた。和江はお通《つう》とおイシに挟《はさ》まれる恰好で、俯《うつむ》いている。お通の頬《ほお》には殴《なぐ》られたような青い痣《あざ》ができていた。おイシは鼻血を出したのか、鼻の回りが汚《よご》れている。

「これは、いったい……どうしたって言うんです」

おいちはおイシから和江、お通と視線を動かし、問うようにお美代を見た。お美代がゆっくりと、かぶりを振る。

「わたしたちも、まだ事情がよく呑《の》み込めていないの。お内儀さん、あの男たちは？」

「通りに放り出してやりましたよ。ふふん、這《ほ》う這《ほ》うの体《てい》で逃げて行っちゃいましたね。あれは、たいした者じゃないわ。おおかた、銭《ぜに》でも掴まされて、軽い気持ちで無体《むたい》な真似《まね》をしたんだろうね。けど、あの二人は裏口から入ってきたんだね」

「そうです」

お通が頷《うなず》いた。

「あたしと和江さんとで、裏庭のお掃除《そうじ》をしていたんです。そしたら、突然に裏木戸から入ってきて、『ここに、加納《かのう》先生のおじょうさんはいるかい』って聞いてきて……。あたし、とっさに和江さんを見てしまったんです。それで、男たちは気が付いたらしく、和江さんの腕を摑んで連れ出そうとして……」

「まっ、連れ出す相手の顔も確かめずに乗り込んできたわけかい。ふん、やっぱり、半端者《はんぱもの》たちだったんだね。どうりで弱いはずだ」

おうたが鼻から息を吐き出した。

「よ、弱かったんですか。でも、身体も大きくて、あたし、怖《こわ》くて……怖くて……」

お通が身体を震わせた。華奢《きゃしゃ》な少女からすれば、不意に押し入ってきた男たちは狼《おおかみ》にも似た恐ろしさだったただろう。

和江が顔を上げた。

「でも、お通さんもおイシさんも、あたしを守ってくれました」

お通より、はっきりとした口調で告げる。

「あの男たちは父が寄越《よこ》したのです。わたしを家に連れ戻すために、あんな無茶《むちゃ》なやり方をしたのです。お通さんがいなかったら、わたしは、あのまま、外に引きずり出されていたと思います。外には駕籠《かご》が用意されていて、無理やり押し込められていたはずで……。でも、お通さんがわたしの腕を摑んでいた男にむしゃぶりついてくれたんです。それで、男の手が緩《ゆる》んで、わたし、逃げることができました。母屋《おもや》の方に逃げようとしたら、男たちが追いかけてきて、そしたら、今度はおイシさんが止めようとしてくれたんです。男たちの前に飛び出してくれて。わたしは、それでお店の方に逃げることができました」

「で、真打《しんうち》が出て来たってわけさ」

おうたが自分の胸をぽんと叩《たた》く。

「店にいたら、和江さんが逃げてくるじゃないか。あたしの後ろに回って、がたがた震えてさ。で、あの男たち、あたしになんて言ったと思う。当ててごらんよ」

「伯母さん、ここで謎かけなんてしないでよ。でもだいたいわかるわ。『そこをどけ、おばさん』とか『おじょうさんを渡してもらおうか、おばさん』とか言ったんでしょ」

「大当たり、その通りさ。おまえに『伯母さん』って呼ばれるのは当たり前だけど見も知らない男に『おばさん』なんて言われる筋合《すじあ》いはないからね。だいたい、他人の家に許しもなく入ってきたうえに、あたしをおばさん呼ばわりするなんて無礼《ぶれい》にもほどがあるよ」

えっ、腹を立てるの、そこ？

と、突っ込みたくなったけれど、今はそんな悠長《ゆうちょう》なときではないと思い直す。ともかく話を聞き終え、先のことを考えなければならないのだ。

「それで、通りまで投げ飛ばしたってわけね」

おいちは急《せ》いた口調《くちょう》で続けた。

「男たち、散々《さんざん》な目に遭《あ》ってとっとと逃げて行っちゃったものね。伯母さん、強いわ。また一段と体術の腕をあげたのねえ」

「ふふん、大きな声じゃぁ言えないが、道場通いも長いんだよ。免許皆伝《かいでん》も間近ってとこさ。そんじょそこらの男なんて目じゃないね。相手の胸倉を摑めば、こっちのもので」

「あ、はい。わかりました。伯母さんのおかげで、今日のところは何とかなったのね。けど、これで終わりじゃないわよね」

これで終わりになるはずがない。現《うつつ》はそこまで生易《なまやさ》しくはないのだ。

「終わりというより、始まりの合図みたいなものね」

美代が呟《つぶや》いた。

「こんな真似をしてまで、和江さんを連れ戻そうとするんですもの。加納先生は本気ね」

そう、本気で娘を取り返そうとしている。

「わたしが、お話に行きましょう」

明乃がそこにいる女たち一人一人を見回しながら、言った。

「和江さんの向学の志《こころざし》、石渡塾《いしわたじゆく》の今とこれから……。そういう諸々《もろもろ》をお話ししてみます。そして、和江さんが、これからも石渡塾で学んでいけるように頼んでみましょう」

明乃は高名な医師、石渡乃武夫《のぶお》の妻だ。乃武夫は長崎の地で亡くなったけれど、その名は江戸でも広く知られている。没後も名医と慕《した》う者は多いと聞いた。明乃の言葉にならら、加納堂安《どうあん》も耳を傾けるかもしれない。

「無理です」

和江が叫んだ。

「たとえ、明乃先生のお言葉でも父が聞くとは思えません」

「和江さん、でも、やってみなければわからないでしょう。加納先生も人の親です。それに、あなたが石渡塾に入塾するのを、一度は許してもくださいました。あなたの本心、志を説《と》けばわかってくださる見込みもあるでしょう」

「ないです」

和江が言い切る。一連の騒動で髷《まげ》が乱れ、ほつれ毛が何本も頬《ほお》に掛かっていた。

「わたしが入塾できたのは、明乃先生が石渡乃武夫先生のご妻女《さいじょ》でいらしたからです。石渡の名が付いた塾なら、嫁入りの足しにはなっても、おそらく障《さわ》りにはなるまいと……父ははっきりと申しました」

「まあ」

美代が息を呑む。明乃もさすがに口元を歪《ゆが》めた。おうたは何か言いかけたが、おいちが袖《そで》を引っ張ったので、唇《くちびる》を尖《とが》らせただけで黙《だま》り込む。

「父には端《はな》からわたしを医者にする気などありませんでした。ある年になれば、自分に都合のいい相手を見つけ、嫁《とつ》がす。それしか考えていないのです」

「都合のいい相手って、つまり、加納先生のお仕事の助けになるってこと？　あの、お弟子《でし》のお医者さんとか生薬屋《きぐすりや》さんとか……」

美代が少し遠慮がちに尋《たず》ねた。

「お金です」

和江の答えに、おいちと美代は思わず顔を見合せた。

「父はお金が欲しいのです。そのお金を都合してくれるような相手、大店《おおだな》とか大身《たいしん》の家とかと結びつくことが大切なのです。それには、わたしを嫁がせるのが一番の早道だと考えていると思います。それがわたしの幸せに繋《つな》がると信じてもいるようで……」

大店、大身の家に嫁げば確かに金の苦労とは縁が切れるかもしれない。少なくとも、明日の米をどうしようかと悩まずにはすむ。おいちは、明日を心配しなくていい暮らしは幸せだと思う。飢《う》えと無縁でいられるのも幸せだ。間違いなく、幸せだ。

でも、人はややこしい。

金の力だけで幸せにはなれないのだ。飢えるのは不幸だけれど、腹が満たされていれば幸せだとも言い切れない。

和江は本気で医者になろうとしている。その夢を親の一存で断ち切られてしまえば、諦《あきら》めを強《し》いられるのなら不幸としか言いようがない。

親が子を不幸にしてはいけない。襲《おそ》い掛かる不幸から盾《たて》とも壁《かべ》ともなって守り切る。それが親の役目だと思う。少なくとも、おいちはそうやって守ってもらってきた。だから、母親となったとき守る側に回る。回ることができる。

「でも、加納先生って、大層なお金持ちだろ」

おうたが口を挟んできた。声がいつもより低いのは、怒《いか》りを潜《ひそ》ませているからだ。伯母は明らかに加納堂安に腹を立てている。おいちがしっかり袖を握っているものだから、いきり立つのを我慢しているのだろう。

「お城みたいなお屋敷に住んで、庭にはでっかい泉水《せんすい》が三つも四つもあって、蔵《くら》まで建っていて、お弟子さんと奉公人だけで何十人もいて、それで……えっと、ともかく、いろいろと贅沢《ぜいたく》に暮らしていると聞いたよ。まったくねえ。同じ医者なのに松庵《しょうあん》さんとは、えらい違いさ。かたやお屋敷、かたや裏長屋住まいで金とは縁のない貧乏医者で……」

おいちは伯母の袖を強く引いた。

「伯母さん、そこまでにして。父さんは今、関《かか》わりないからね。あ、でも、和江さん、加納先生はどうしてそんなにお金が入《い》り用《よう》なの」

「お城みたいな屋敷に住んで何十人ものお弟子や奉公人を使う、そんな贅沢な暮らしを続けるためにです」

「え？　いや、待って。自分が贅沢な暮らしを続けるために娘の嫁入り先を探しているっていうの。いや、それはないでしょ。加納先生だって父親だもの。娘の、和江さんの未来《さき》のことを何より一番に考えているはずよ」

一人勝手かもしれないし、的外《まとはず》れかもしれない。それでも、加納堂安なりに娘の行く末を思案したのではないか。

和江が顎《あご》を上げ、おいちを真正面《ましょうめん》から見据《みす》えてきた。

「おいちさんは、そういう父上さまに育てられたのですね」

冷えた物言《ものい》いだった。

「娘の未来を何より一番に考えてくれる、そんな父上さまです。だから、わたしの言ってることが腑《ふ》に落ちないのでしょう」

おいちより先に、おうたが口を開いた。

「父上さま？　ははは、ごめんなさいよ、和江さん。この子の父親はそんな上等な代《しろ》物《もの》じゃありませんよ。人と狸の間にいる半妖怪《はんようかい》みたいな男なんだから」

「ちょっと、伯母さん」

おうたは袖を引っ張り、右肩だけをひょいと持ち上げた。

「でもね、狸の妖怪なりに娘を慈《いつく》しんでいるのは確かなんですよ。おまえさんの父上さまは、人ですよね。狸の妖怪でも人でも、我が子、我が娘がかわいいというのは同じはずですよ。その心を上手《うま》く伝えられるかどうか、難しいとこじゃありますけどねえ」

「だから、父にも、わたしのことを慈しむ心があると言うんですか」

「そう思った方が和江さんが楽になれると、あたしは思いますけどね。和江さんの母上さまは早くに亡くなられたのですよねえ。そしたら、加納先生はこの世にたった一人の親じゃないですか。その相手を信じられなくて、自分を道具としか見ていないと思い込んだまま生きるのは苦しくないですか。ましてや、父上さまは狸の妖怪じゃなくて人なんだから」

「伯母さん、あたしの父さんも人よ。妖怪じゃないから」

「おまえが気付いてないだけだよ。松庵さんが人のわけがないんだから。あのご面《めん》相《そう》はどう見たって狸の」

「違います」

　和江が激しい口調でおうたの言葉を遮《さえぎ》った。

「父はわたしを愛《いと》しいなんて思っていません。ほんとうに、自分のための道具としか見ていないのです。今回も嫁ぎ先が決まったからと、無理やり連れ戻そうとして……わたしのことを少しでも考えてくれたら、こんな無茶なやり方はできないはずです」

「まあ、確かにそうだよね。ちゃんと筋《すじ》を通して、明乃先生にご挨拶《あいさつ》するのが当たり前だしね。勾引かし同然に連れ去ろうなんて、ちょいとおかしいよね。うん？

それって、明乃先生を延《ひ》いては、『香西屋』を軽《かろ》んじてるってわけじゃないか」

「伯母さん、落ち着いて。ここには怒る相手がいないんだからね。誰も投げ飛ばしちゃ駄目《だめ》よ、ほんと、落ち着いて頼むから」

「頼まれなくても、落ち着いてますよ。猪《いのしし》じゃあるまいし、見境《みさかい》なく他人《ひと》さまに突っかかっていったりしないさ。で、和江さん、おまえさんの言い分だと、加納先生はおまえさんの嫁ぎ先を決めた。しかも、祝言《しゅうげん》を急いでいる。けど、おまえさんは、いっかな家に帰ろうとしない。むしろ、石渡塾で学び続ける気でいる。それで、業《ごう》を煮やした加納先生は破落戸風情《ふぜい》を使って、無理やり連れ戻そうとした。そういうことだね」

「そうです」

「ふーん、その嫁ぎ先ってのはどこなのさ」

「知りません。江戸でも名の通った大店だそうです」

和江がまた、俯く。膝《ひざ》の上で握ったこぶしが震えていた。

「あらま、名の通った大店って……羨《うらや》ましい話じゃあるね、おいち」

「ちっとも、羨ましくなんてないわよ。和江さんは、お嫁なんて行きたくないのよね」

「行きたくありません。あたしは、ここで学びたいのです。望みはそれだけです。

それに、それに……三十も歳《とし》の離れた相手の後添《のちぞ》えなんて、嫌《いや》です」

美代と明乃が同時に息を吐き出した。

「父は……あたしのことなんて考えていません。慈しんだりなんてしていません。大店の主人から、支度金《したくきん》として何百両という金子《きんす》を受け取っているんです。その前からも相当な額の借金をしていたみたいで……。わたしは、お金のために売られていくみたいなもので……、そんなの、そんなの……嫌です」

誰だって嫌だ。とんでもない話だ。

「なるほど、じゃあ、きれいさっぱり縁を切るしかないね」

おうたが頷く。そこにいる誰もが、一斉《いっせい》におうたに目を向けた。

「縁を切るってどうやるのよ、伯母さん」

「知るもんかい。けど、何とかしなくちゃならないだろう。このまま、加納堂安が引っ込むわけないんだから。何だかんだ言っても、力と金を持ってるんだ。そういうやつは強いよ。お役人とか丸め込んで、父親が娘を連れに来たとか言い張られたら、こっちはお手上げになっちまう。うん、何とかしなくちゃね。加納堂安、手強《てごわ》い敵だよ」

おうたが加納堂安と呼び捨てにする。しかも敵と明言した。物言いはいつも通りだが、かなり腹を立てている。その怒りが伝わってきた。

和江が身体を震わせた。

「父はどんな手を使っても、自分の思い通りに事を進める人です。次は、もっとたくさんの破落戸たちを送り込んでくるかも……。『香西屋』に嫌がらせをしてくるかも……そうしたら、わたしは、わたしは……」

和江の両眼《りようめ》から涙が零《こぼ》れ落ちた。

おいちが初めて見る和江の泣き顔だ。

「今日だって……あたしのために、お通さんやおイシさんに怪我《けが》をさせてしまって……次はもっと酷《ひど》い目に遭うかも……そんなこと考えたら、わたし、ここにいられないのかもって……。申し訳なくて、みんなに迷惑を掛けてしまって申し訳なくて……でも、でも、わたし……諦めたくない……諦めたくないの」

「諦めなくて、ええだ」

おイシが腰を浮かせた。

「なんで、和江さんが諦めねばなんねえ。そんなの、おかしいべ」

続いてお通も中腰になる。

「そうよ、そうです。いくら父親だからってやっていいことと悪いことがあります」

おイシもお通も頬を紅潮《こうちょう》させている。普段は控《ひか》え目でおとなしい二人が情を露《あら》わにして叫んでいた。双眸《そうぼう》がぎらついている。憤《いきどお》っているのは、おうただけではないのだ。

「鼻血なんて、どうってことないべ。こんなの、慣れっこだ。雪道で転んで顔をぶつけたと思えば笑えるほどのもんだ」

「そうです。こんなの怪我の内に入るものですか。よしんば入ったとしても、悪いのは和江さんじゃないわ。あの男たち、ひいては加納先生じゃないの」

「んだ。和江さんは何にも悪くねえ。なのに、なんで謝《あやま》ったり、諦めたりせねばなんねえ。変だべ。どう考えたって、そんなん間違ってるべ」

おいちは目を見開き、憤る少女たちを見詰めていた。

おイシは陽気な性質《たち》ではあったが、里言葉を恥じるのか口ごもることが多い。お通は生来の口下手《くちべた》で、他人と話すことが苦手《にがて》だ。どちらかというと慎重《しんちよう》に、一つ一つ言葉を選《よ》りながらしゃべる。その二人が怒りに任せて、想《おも》いを吐露《とろ》している。

しかも、重なる。二人の想いは、そのままおいちのそれに重なる。

「間違っているなら正さねばならないわよね」

おいちの一言に、お通とおイシは同時に頷いた。

「そうです。正すべきです。和江さん、あなたが諦めたら、間違いは間違いのままになってしまうよ。これからも、ずっと間違ったままになってしまう」

「そうだ。ここが踏ん張りどころだべ。みんなで、踏ん張るんだ」

どう踏ん張ればいいのか、どう正していくのか。先行きは見えない。おうたは〝敵〟と言いきったけれど、おいちたちの何倍もの力を持った敵なのだ。

戦い、勝つための方策を探し出せるだろうか。つまり、和江の塾生としての日々を守り通せるかどうか。難しい。でも、大丈夫な気もする。

おいちは僅《わず》かに目を細めた。胸の底が仄《ほの》かに温かい。

「ずい分と逞《たくま》しくなったねえ」

思わず、声が漏《も》れた。美代が応じる。深く首肯《しゅこう》したのだ。

「ほんとにね。いつの間に、こんなに頼《たの》もしくなったの。先生、嬉しゅうございますね」

「ええ」

明乃が微笑《ほほえ》み、襟元《えりもと》に手を添えた。

「ここがわくわくしていますよ。石渡塾は医塾ではありますが、医術、技《わざ》を学ぶだけの場所ではありません。自分の生き方を自分で決める、その手立てを得るための場でもあるのです。今の世、女が自らの生き方を決めるなんて容易《たやす》いはずがありません。素手《すで》で、切り立った崖《がけ》を登るに等しいとわたしは思っていますよ。でも、あなたたちは徐々にだけれと、登り切る力を手に入れようとしているのですね。ほんとに、しみじみと……石渡塾を開いてよかったと思えます。嬉しい限りですよ。これも、おいちさんや美代さん、お内儀さんのおかげね。和江さん」

師に呼びかけられて、和江が居住まいを正す。お通もおイシも座り直した。

「あなたが本気で学びを続けたいのなら、わたしたちは全力でそれを支えますよ。あなたを加納家に無理に連れ戻すなんて真似、決して許しません。たとえお父上であってもね。だけど、そのためには覚悟がいります。お内儀さんが仰《おっしゃ》ったように、父娘《おやこ》の縁を切るしかないところまで追い詰められるやもしれません。その覚悟ができますか」

和江の頬から血の気《け》が引いていく。涙の跡が乾《かわ》いて、白っぽく浮き上がっていた。

「わ、わたしは……ずっと、父に認められたかった。女だというだけで、父から疎《うと》まれて……好きな勉学にどれほど励《はげ》んでも認めてもらえなくて、悔《くや》しくて、父や兄を見返してやりたくて、それで、一人前の医者になってやると、自分に誓《ちか》いました」

「あらまあ、それじゃ仕返しに医者になろうとしたの」

美代が声を大きくした。ただ、和江を責める風《ふう》はない。どちらかといえば明るく、少し頓狂《とんきょう》な響きの方が強い。

「それじゃ、わたしと同じじゃない」

「え?」。和江の眉《まゆ》が心持ち上がった。

「わたしも一度嫁いだのだけれど、わたしが医術を学びたいと言ったら、亭主からも舅《しゅうと》や姑《しゅうとめ》からも散々《さんざん》責められてね。女の道を踏み外すだの、頭がおかしいだの、ほんと酷かったの。わたし、悔しくて、悔しくて、今に見てろって心の中で叫んでいたわ。そのときの悔しさや怒りが医術を学ぶ力にもなっているの。だから、和江さんと一緒でしょ」

「あ……はい」

「でも今は違うよね」

おいちは横合いから、美代の膝を叩いた。

「美代さん、今は悔しさや怒りなんか関わりなく、医術を学んでるでしょ。昔のことなんか、どうでもいいって思ってるんじゃなくて」

「あら、わかる? そうなの。始めるきっかけなんて、人それぞれ。大事なのは、その次よ。和江さん、わたしね、どうしても医者になりたいの。明乃先生の許《もと》で学んで、江戸で松庵先生の診療を間近で見ることができて、自分のやることがこれだって、さらにはっきりしたの。和江さんの気持ちはわかる。でもね、悔しい、腹立たしいって気持ちが消えた後も、それでも医者になりたいかどうか、自分に問うてみて。答えが『はい』なら、明乃先生が仰ったように覚悟を決めて、お父上と向き合いましょうよ。大丈夫、みんながいるんだから」

美代の横顔を見ながら、おいちは唇を嚙《か》んだ。

美代は真《ま》っ直《す》ぐだ。真っ直ぐに医の道を進んでいる。十斗《じっと》とのことをあれこれ勝手に考えていた自分が恥ずかしくなる。おそらく、美代は誰かと所帯を持つことなど思ってもいないのだろう。

あたしは……どうだろうか。

帯の上から腹を撫《な》でる。

あたしは新吉《しんきち》さんの女房になった。間もなく、この子の母親になる。新吉さんと暮らしながら、この子を育てながら、あたしは医者になれるんだろうか。いろんなことに気を取られ、手を取られ、学びが疎《おろそ》かになっていくんじゃないだろうか。

初めて覚える不安だった。自分への不安だ。

いち、あんた大丈夫なの。ほんとうに大丈夫なの。

「わかりません」

叫びが聞こえた。一瞬、自分の叫び声だと感じた。しかし、それは、おいちではなく和江のものだった。

「わたし今でも、悔しいです。怒りもあります。でもでも、それだけじゃなくて、まだ学びたいのです。石渡塾で学びたいのです。お通さんやおイシさんと一緒に学びたい。明乃先生や先輩たちから学びたい。でも、やっぱり悔しくて、腹だたしくて、父や兄が嫌で……。頭の中が、心の中が……ぐちゃぐちゃなんです」

和江が突っ伏《つっぷ》して泣き始めた。お通とおイシが守るように両側に座る。

三人は三人なりに心を通わせて日々を過ごしてきたのだ。少女たちの姿が愛しいようにも、健気《けなげ》なようにも感じて、少し目の奥が熱くなる。

「学びたいと本気で願っているなら、それで十分です」

明乃が背筋を伸ばす。

「和江さんの想いを大切にしましょう。お内儀さん、力を貸していただけますか」

「もちろんです。あたしだけ蚊帳《かや》の外に置かれたらたまりませんよ。まっ、蚊帳を破いても中に入っていきますけどね」

「まあ、お内儀さん、おもしろい。さすがに、おいちさんの伯母上ねえ」

「美代さん、どこに感心してるの。あたし、伯母さんに似てなんかいないから」

「あら、そっくりよ」

「ええっ、止めてよ」

「おいち、何で止めなくちゃならないんだよ。あたしに似てちゃ困ることがあるのかい」

「あり過ぎて数えきれない……あ、いえ、いいのいいの。それより、この先、どうするかを思案しなきゃいけないわ。加納家から、今度は正式な使者が来るかも。いえ、きっと使者を寄越すはず。破落戸でしくじったから、今度は父親として正面から迎えを寄越すと思うの。それしか手はないでしょ」

おうたが低く唸《うな》る。

「確かにね。正式に迎えになんてこられたら投げ飛ばすわけにも、追い返すわけにもいかないねえ。けど、端からそうすりゃよかったじゃないか。破落戸なんか使わないでさ」

和江が洟《はな》をすすり上げた。

「父は、あたしが石渡塾に入門したことを快くは思っていませんでした。正式に使者を立てれば明乃先生にも『香西屋』にも頭を下げねばならないし、金子も含めてそれ相応の礼を尽くさねばなりません。加納堂安の面目《めんぼく》を潰《つぶ》さないだけのことをやらねばならないのです。それが癪《しゃく》だったのではないでしょうか。親の意に背《そむ》いた娘には、それなりの連れ戻し方をする。そういう考えなのです」

おいちと美代とおうたが、ため息を吐いた。合わせたわけではないが、ぴたりと息が合ってしまった。美代もおうたも、やりきれないという顔色になっている。おそらく、おいちの顔つきも同じだろう。

加納堂安という人は、どこまでも曲がって、崩《くず》れているらしい。

「なかなかの相手だねえ。こりゃ、やっぱり手強いよ」

おうたがさらに唸る。おいちは膝を前に進めた。

「あたしに考えがあります」

明乃、美代、おうた、お通、おイシ、そして和江。六人の女たちが一時に、おいちを見やった。見詰められながら、おいちは息をゆっくりと吸い、吐き出した。

「ええ、あたしに考えがあります。聞いてください」

六人が頷く。風の音が少しばかり大きくなったようだ。

〈つづく〉

世界はきみが思うより

第八回　恋とレモネード、その他（後編）

寺地はるな
Terachi Haruna

たくさんのテーブルと椅子《いす》を並べた屋根付きの広場があり、そこでお弁当を広げることにした。水田《みずた》さんは鞄から使い捨ての容器をつぎつぎと取り出して、蓋《ふた》を開けた。にんじんといんげんを鶏むね肉で巻いて煮《に》たおかずが入っている。

「これ、うちの母がよくつくってた」

「そうなの？　口に合うといいんだけど」

母がこの料理をつくるのは、お正月か来客がある時だけと決まっていた。

水田さんのお弁当の他のおかずは、きざんだ椎茸《しいたけ》や大豆などの具を卵に混ぜて焼いたものや里芋の煮物に栗ごはんのおにぎりという比較的渋《しぶ》めのラインナップだった。

「なんとなくだけど、桂《けい》さんは揚《あ》げものとかよりこういうののほうが好きかな、と思って」

「ひとりで盛り上がって」と言いながら、ちゃんとわたしが喜ぶかどうかを考えてくれている。おにぎりも、ひとつひとつが小さい。わたしが無理なく食べきれるように工夫してくれたのかもしれない。

「水田さんは子どもの時、お弁当もって家族でお出かけしたりしてた?」

「うちはあんまりなかったかな、そういうのは。うち商売やってて、休みなかったからね」

「わたしも、あんまり」

「あーでも、親戚のおじさんとおばさんが山に連れていってくれたことがあった。いとこと一緒に。いとこもおれも、全員男。小学生ぐらいだったかな。おばさんが、お弁当つくってくれててさ。好きなだけ食べな、って」

こーんなでっかい保存容器にさ、と水田さんが人差し指で空中に大きな正方形を描く。

「鶏の唐揚げが、いっぱい入ってたの」

「あはは」

「夢の弁当だ、と思ったな」

わたしはおにぎりを食べながら、夢のお弁当かあ、と呟《つぶや》く。

「わたしもあったなあ、夢のお弁当」

「どんなの？　聞きたいな」

「『オズのオズマ姫』っていう本に出てくるお弁当やねん」

『オズの魔法使い』シリーズの三作目なのだが、わたしは当時『オズの魔法使い』を知らなかった。

「『オズの魔法使い』ってシリーズものなんだね。知らなかった」

「うん。乗ってた船が嵐に巻きこまれて魔法の国にたどりつくの、そこにおべんとうの木、っていうのがあって」

その木の葉っぱは紙ナプキンで、四角い紙箱が鈴なりに実っている。紙箱を開けると、サンドイッチやスポンジケーキが入っている。そういう内容だった。

「へえ」

「おべんとうの木の隣には夕食の手おけっていう木があんねん。そっちの木にはブリキのバケツが実ってる。なかみは忘れたけど、ふたのところに水筒《すいとう》がついてて、その水筒にはレモネードが入ってるっていうとこだけは強烈《きょうれつ》に覚えてる。その頃わたし『レモネード』がどんなもんかも知らんかったけど、ぜったいおいしいんやろなあって」

「うん。わかるよ」

水田さんは楽しそうに頷いて、読んだ本の再現レシピとかやってみたいよね、と言った。おいしそうな料理が出てくるという小説や漫画のタイトルがつぎつぎに挙げられる。

「桂さんの好きな『オズのオズマ姫』、読んでみたいな」

待ち合わせの時にも水田さんが本を読んでいたことを思い出し、なんの本を読んでいたのかと訊《たず》ねてみる。水田さんはポケットから文庫を取り出して、見せてくれた。

藤代結《ふじしろゆい》、という著者名も『偽果《ぎか》』というタイトルも、はじめて目にする。有名な

前回までのあらすじ

アプリで出会った水田《みずた》と、頻繁に会うようになった桂《けい》。水田に会った当初の理由は、道枝《みちえだ》くんを傷つけた自分自身への「罰」であり、彼に対して恋愛感情は抱かないと思っていた桂だったが、何度か食事をともにするうちに、水田の人柄に惹かれ、好意を寄せるようになっていた。そんな折、桂と水田は一緒にマジカルランドに行くことに。水田も自分を好きでいてくれるのか、気になった桂は……。

作家なのかと訊ねると、水田さんはしばらく考えて、自分は好きだけど最近新刊も出てないし有名ではないと思う、と答えた。有名ではない著者の本をあたりまえに読んでいるなんて、とても読書家なのだと思う。すくなくともわたしよりは。わたしはランキングの上位だったとかすごく話題になっているらしいとか、そういう理由で選ぶことのほうが多い。つまらない本に当たって時間を無駄《むだ》にしたくないから。

「正確に思い出せる？　おべんとうの木のお弁当の中身」

「あー、どうやったかな」

水田さんは期待に満ちた目でわたしを見つめているが、それらの記憶はなかなかよみがえってこなかった。

「帰り、うちに寄っていかへん？　実家から持ってきたから本あるし、読んでたしかめよ」

そう言った時、わたしはなにも考えていなかった。男の人を自分の、ひとり暮らしの部屋に呼ぶということの意味について、まったく考えが及《およ》ばなかった。水田さんが戸惑《とまど》ったように目を伏《ふ》せたのを見てはじめて、水田さんが動揺《どうよう》していることに気づいた。

「や、へんな意味じゃなくて」

「うん、あの」

　水田さんは空になった容器を片付けながら、しっくりくる言葉を探しているようだった。口を開きかけてはやめ、を繰《く》り返す。

「男が女の人の部屋に行くことがなにしてもオッケーっていう意味だとは思ってない。おれはね。でも、たいていの男はそういうふうに思うかもしれないよ、部屋に誘われたら。誤解を招くんじゃないかな」

「そういうつもりで言ったんじゃなかった」

　わたしは言ってから、でも、と言葉を続ける。恥ずかしいけど、今言うべきだ。

「でも、水田さんとならそうなってもいいとは思う。思い、ます」

「あ、うん」

　水田さんの驚いた顔を見ているうちに、ちょっと腹が立ってきた。

「ていうか、『たいていの男は』ってなに？　こんなん、誰にでも言うわけないやんか」

「ごめん」

　わたしし、と言いかけて、次の言葉が出てこなくなった。なんと言おうとしたのだったか。わたしは水田さんが好きです？　わたしの恋人になってください？　水田さんはしばらく黙《だま》っていたが、わたしが顔を伏せると、ようやく口を開いた。

「おれは桂さんのこと、とてもすてきな人だと思ってる。やさしいし、話してて楽しいし、まじめで自制心が強いところも尊敬してる」

でも、と続きそうで、それがこわくて、わたしは急いで喋《しゃべ》り出した。

「わたしは、水田さんのことが好き。前に『違う』みたいなこと言うて、今更《いまさら》なにって感じかもしれんけど、でも気持ちが変わった。変わっていったの、水田さんと一緒に過ごすうちに」

そこで言葉を切って、呼吸を整える。まっすぐにこちらを見つめてくれていることに勇気を得て、話し続けた。

「もともと、恋愛に抵抗があった。独身の男と女がいたら、すぐにくっつけようとする人たちとか、恋人がいなきゃいけない、欲しがらなきゃいけない、みたいな雰囲気ってあったから」

水田さんはすこし考えてから、「最近はそうでもないんじゃない」と言った。

たしかに、そもそも恋愛に興味がない人がいる、性的な関心や欲求を感じない人もいる、という認識はここ数年でずいぶん広まりつつある。

「わたしもじつを言うと、自分もそうなんちゃうかと思ってた時期もあった」

「そうなんちゃうか」には「そうだったらいい」という期待が含まれていた。友人たちのように「とにかく彼氏が欲しい」とか、そんなふうに思えない自分はおかしいのではないか、と思わずに済む。ぴたっとはまれる属性があったら不安じゃなくなる。ちゃんと名称があり、分類されている存在になれる。すくなくとも絶え間なく心を揺《ゆ》らす「自分は何者なのか」という不安を手放せる。

「でも、やっぱりそれも違った。だってわたしは……わたしには、あるから。誰かに自分を好きになってもらいたい、同じぐらい好きでいたい、そしてその人に触ったり、触られたり、抱き合ったりしたいっていう欲求はあるから。そういうふうに思える相手が今までほとんどいなかったってだけで」

性欲の有無なんて、真昼間の遊園地で話すべきことがらではない。そう思いながらも、溢《あふ》れ出る言葉を止められなかった。

「水田さんがわたしをどうしても恋愛対象として見られへんっていうならそれはしかたないと思ってるよ。今のままでもぜんぜんいい。でも、なんか」

なんか、のあとが、続かない。

もっと確かなものがほしい。その言葉が頭に浮かんで、驚いた。身体の関係を持ちさえすればもっと自分と水田さんとの関係性が強固になるとでも思っているのか、わたしは。それは違うんじゃないか、いや絶対違う、と思ったけど、どうすればいいのかは、やっぱりわからなかった。

「今よりもっと水田さんに近づくには、どうすればいい?」

水田さんがまた黙った。なんか言って、と願う時間は永遠かと思うほどに長かった。

「わかったよ、桂さん」

背後で、歓声とジェットコースターが走り抜けるごおっという音が遠くから聞こえた。

イルミネーションはたしかにきれいだったけど、わたしはこの後のことで頭がいっぱいで、正直あまり楽しめなかった。たぶん水田さんもそうだ。昼食後、極端に口数がすくなくなった。

わたしのアパートに向かう途中で、水田さんがコンビニに寄りたいと言い出した。いっしょに店内に入ろうとすると、顔を赤くして「外で待ってて」と言う。遅ればせながらわたしもようやくそこで水田さんがなにを買うつもりなのか理解して、ああ、ごめん、と間の抜けた声で答えた。

想像通りだなあ、というのが、わたしの部屋に足を踏み入れた水田さんの第一声だった。

「え、どういう意味」

「きれいに片付いてる」

台所も、どこもかしこも、と指さす。洗面台には化粧道具が散らばっているし、朝つかった食器もシンクの中に置いたままだ。

「おれの部屋よりだんぜんきれいだよ」

この部屋に男の人が来るのははじめてだった。同性の友人ですら、めったに部屋にはあげない。水田さんはわたしにことわりを入れてから、本棚を眺め出した。語学関係の本や栄養学の本が多い。仕事柄いろいろな国のことを知っておかなければならないから、外国の文化や歴史の本なども読んでいるが、小説はほとんどない。

「あ、これだね。『オズのオズマ姫』」

水田さんがそっと本を抜き取る。『オズの魔法使い』と『オズのオズマ姫』のあいだには、『オズの虹の国』という作品があるのだが、そちらは持っていない。図書館で借りて一度読んだだけだ。そちらは『オズの魔法使い』の主人公ドロシーが出てこない。

水田さんは床に腰をおろしてそのまま本を読みはじめてしまったので、わたしは隣に腰《こし》を下ろした。

「おべんとうの木」に関する記述が出てきたあとも、水田さんは本を閉じることなく読み続けている。

「おもしろいね、これ」

「うん」

もしかして、このままずっと本を読んで過ごすつもりなのだろうか。勇気を出して、身体をすこし寄せてみる。

この挿絵《さしえ》もさ、味があるよね、と水田さんがわたしを見た。視線が合って、ゆっくりと顔が近づいた。

ファンデーション浮いてないかな、とか、眉毛《まゆげ》消えてないよね、とか、いろんなことが頭をよぎる。水田さんの手がわたしの肩に触れて、ゆっくり抱き寄せられる。唇《くちびる》が重なったけど、ほんの一瞬だった。「掠《かす》めた」という表現のほうが正確かもしれない。

どれぐらい、そのままの姿勢でいただろうか。わたしの身体に両腕をまわしたまま、水田さんはぴくりとも動かない。服を脱《ぬ》がそうともせず、身体のどこにも触れようともせず、ただただ、凍《こお》りついたようにじっとしていた。

おそるおそる身体を離して、水田さんを見る。その瞳《ひとみ》の暗さにぎょっとした。

「水田さん、だいじょうぶ？」

「ごめん」

水田さんは唇を震わせながら、目を伏せる。

「……どういう意味？」

「ごめん」

返事になってないよ、と言ったら、涙が出てきた。

「わたしでは無理ってこと？」

悲鳴みたいな声が喉の奥から迸《ほとばし》り出る。水田さんは片手で目もとを覆《おお》って、ごめん、と繰り返すばかりで、答えてくれない。

「ほんとうに、ごめんね。帰るよ」

水田さんは立ち上がり、玄関に向かおうとする。その後ろ姿に向かって、だめ、と叫《さけ》んだ。自分でもびっくりするような大きな声が出た。

「逃げるみたいに帰らんといて」

お願い、帰らんといてよ、と叫びながら子どもみたいにわあわあ泣いた。泣いてはいけない、感情的になってはいけない、と思えば思うほど涙が噴《ふ》き出てくる。

「桂さん」

振り返った水田さんは慌《あわ》てたように歩み寄ってきて、抱きしめてくれた。ゆっくりと背中を撫《な》でる仕草が母の記憶を呼び覚まし、さらに泣けてきた。

わたしじゃ、だめなんだ。だめなんだ。全身を引き裂《さ》かれて、そのままばらばらになってしまいそうな気がした。

好きじゃない人に求められるのはつらい。長年そう思ってきたけど、好きな人に拒《こば》まれるのは、それ以上につらい。

でも、声を上げて泣き続けたら、さすがに疲れてきた。水田さんはわたしがすこし落ちついたのをたしかめ、「なにか、あったかいものでも飲もう」と提案してくれた。

水田さんは、ひっくひっくとしゃくりあげながらも「コーヒーがあるよ」と言うわたしをベッドに座らせ、台所を使ってもいいか、と訊ねた。冷蔵庫を開けては「このレモンとはちみつ、つかっていい?」、棚を開けては「このカップとか、つかってもだいじょうぶ?」と確認した。

「いちいち確認せんといて」

「いや、するでしょ。ここはきみの家なんだから」

水田さんがくすっと笑い、わたしもつられて笑った。そこでようやく、空気がゆるんだ。

「ホットレモネード。即席だけどね」

泣きすぎてしょぼしょぼする目を、たちのぼる湯気が包んでくれる。部屋中にはちみつとレモンの香りが満ちていた。

「おいしい」

水田さんが隣に腰を下ろす。マグカップはひとつしかないから、自分のレモネードは紅茶用のカップに入れたらしい。水田さんが持っていると、おままごとの道具みたいに小さく見えた。

身体が暖まるにしたがって、だんだん気持ちが落ちついてくる。

「桂さんのことが、好きだよ」

「うん」

「この人と一緒にいられたらどんなに幸せだろう、と思う」

ほんとうに好きなんだよ、と強調してから、水田さんは大きく息を吐いた。

「それなのにどうして、きみではだめなんだろう」

その言葉は、もうわたしを泣かせなかった。さすがに涙が出つくしたのかもしれない。

「さっきは、ギャーギャー泣いてごめん」

水田さんは「びっくりしたよ」と呟いて、すこしだけ笑った。

「こんなふうに泣くんだなあって」

「引いたやろ。わたし自分でも引いたもん」

「引いてはいないよ」

水田さんはわたしの空になったマグカップを取って、テーブルに置いてくれた。

「手を繋いでもいい？」

すこし迷ってから、そう訊ねた。

「それともわたしに触ったり、触られたりするだけでも嫌？」

水田さんは答えなかった。黙ってわたしの手をとり「冷たいね」と驚いている。さするようにしてあたためようとしてくれたけど、わたしの手はいつまでも冷たいままだった。

「おれはたぶん、好意と欲望を同じ人間に向けることができないんだと思う」

かつて関係を持っていた女性にたいして、好きだとか、愛しているとか、そんなふうに思ったことは正直一度もなかった、と水田さんは話してくれた。欲望は感じていた、それこそ引かれてしまうかもしれないけど、一時期は恥ずかしいぐらいそのことばかり考えていた。そんなふうなことを。

「そうやんね。その人とやったらできてたんやもんね」

水田さんはすまなそうに目を伏せたが、皮肉を言ったわけではなかった。ただただ、ふしぎだ、と感じる。

「わたしは、水田さんの『特別』になりたかったんやと思う」

身体の関係にこだわったのは、それが誰とでもすることじゃない、という前提がわたしの中にあったからだ。

「でも、『特別』にもいろいろあるよね。すごい、浅はかな考えやったかも」

水田さんは視線を床に落としたまま「でも」と小さな声で言った。

「桂さんにはおれよりもっといい人があらわれると思うよ。ぜんぶ満たしてくれるような人が」

これだけ言っても、まだわからないのだろうか。腹立たしくなって、繋いだ手に力をこめた。それでも水田さんがええの、と言おうとした時、水田さんが「でも、そうなったら、嫌だなあ、とも思う。勝手だね」と泣きそうな声で言った。

いつの日か、わたしたちはこの選択を後悔するかもしれない。でも今は隣にいる。その事実を精いっぱい慈《いつく》しもうと思った。

「何度でも、何度でも、わたしたちのことについて話し合おう。それで、どうしたらいいのか、どうしたらいいのか、またふたりで考えよう」

水田さんは長いこと悩んだ末に、ようやく口を開いた。

「それでいいのかな」

「よくなくても、そうして」

わかった、という返事を得るまで、またずいぶん時間がかかった。

「話してる時に、また今日みたいに泣くかもしれへんけど、それはがまんして。しばらく待ってもらったらじきに落ちつくと思うし」

「泣かせたくはないけどね」

静かな夜だ。ひとりでいる時よりも、ふたりのほうが、ずっとこの静かさが染みる。

水田さんは、テーブルの上の、空のマグカップを見つめている。ふいに、わたしに向き直った。

「おかわり、いる？」

「いる」

即答したのがおかしかったらしい。水田さんが笑い出し、わたしもつられて笑った。

「待ってて」

「うん」

新しいレモンの香りが、室内を清々しく満たす。わたしはまばたきもせずに、水田さんの背中を見つめ続けた。


〈つづく〉

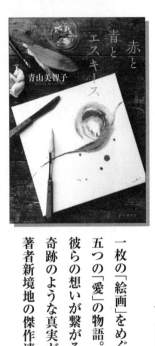

桜風堂夢ものがたり2　第九回

第二話　時の魔法（前編）

村山早紀
Murayama Saki

十月。

ハロウィンが近づいた頃のある土曜日の早朝、急に休みが取れた卯佐美苑絵《うさみそのえ》は、ひとり、電車を乗り継いで、桜野町に向かっていた。

いつも何かと一緒に来たがる母茉莉也《まりや》は、今回は仕事の折り合いがつかず、街に残り、苑絵にしては珍しいひとり旅だった。

車窓から朝陽差す野山の景色が流れてゆくのを飽きずに見つめながら、苑絵は、まるで遠足に出かけるような気分でうきうきとした笑みを浮かべる。

（遠足――ううん、里帰りかなあ）

窓辺に置いた、愛用の小さな魔法瓶には、早起きして入れた熱い紅茶が入っている。おやつにはデパ地下の洋菓子店の焼き菓子とクッキーを少し。これはお土産にも包んでもらっていて、リュックに入れてきた。

桜野町にこうして通うことも気がつけば数を重ね、もはや何度目のことか記憶していない。一整《いっせい》を手伝って桜風堂のレジに立つことも増えていけば、桜野町にも顔見知りのひとびとが増えてゆく。手土産を渡す相手の数も増えていくというもので――あの町に「帰る」都度《つど》、増えてゆくものだから、気がつくと苑絵はまるでお菓子を配る時季外れのサンタクロースのように、いつもリュックやキャリーにたくさんのお菓子を抱えてあの町に向かうようになったのだった。

今回の旅行もなかなかに土産物の数は多く、苑絵は傍《かたわ》らに置いたリュックのそのほどよい膨らみ具合に、笑みを浮かべる。

（里帰りみたいで、いつも楽しいなあ。うん、やっぱり、きっとこれが、大好きなおばあちゃんちに帰るような気分っていうものなのよね）

古今東西《ここんとうざい》の児童文学や漫画や映画、アニメに登場するそんなシーンのあれこれを、苑絵は思い浮かべる。

苑絵には、父方にも母方にも里帰りするような故郷はなく、おばあちゃんのうち、というものに子どもの頃から憧れていたので、それ故《ゆえ》に余計に、山間《やまあい》のその町を懐かしく感じるのかも知れない。いや、感動で涙ぐみそうになるほどに、その町のひとびとが、苑絵の訪問を喜び、笑顔で歓迎してくれるからなのかも。

（孫が帰ってきたみたいに、みんな自然に、でも大喜びして迎えてくれるから）

母である元芸能人の茉莉也が、そもそも桜野町とは縁があり、その娘である、ということが、町のひとたちに可愛がられる所以《ゆえん》になっているらしい。なので視線が、孫に向けるそれになるものか。はたまた、老舗《しにせ》の書店である桜風堂書店を継いだ、若き書店員月原《つきはら》一整の、その店を手伝いに遠方からわざわざ来てくれる、都会のお嬢さん、というところも、苑絵の訪問が歓迎される所以のひとつであるらしい。もしかしたらお嫁さん候補、みたいな興味津々《きょうみしんしん》な視線で見られてしまうのは、どうにも照れくさく、いやそんなはずはないです、と打ち消すのも、自意識過剰なような気がして、ときどき困ってしまうのだけれど。

桜風堂書店の若き店長である月原一整は、遠くの街にいた頃は、ほぼお客様相手にしか、それもごくわずかな笑顔しか見せないような、寡黙《かもく》な書店員だったけれど、いまは山間の町に溶け込んで、苑絵がつい見惚《みと》れるような、明るい笑顔を浮かべる店長になっていた。驚くべきことに、お客様相手に、軽い冗談や、楽しげな会話までするようになっていて——苑絵は、この隠れ里のような山里に辿り着き、そこで暮らすようになった一整の幸せそうな姿に、しみじみと、まるで保護者のような気分になって、良かったなあ、などと思ったりするのだった。

苑絵は、銀河堂《ぎんがどう》書店のみなと一緒に来た、あの冬の最初の来訪以来、桜野町に通うようになっていた。桜風堂書店は、カフェスペースを置いたことがいいように作用し、さらに新しい客を迎えるようになっていて、一整たち、桜風堂書店のスタッフだけでは、お客様をさばききれなくなっていたのだ。

山間の、忘れられかけていたかつての歴史ある観光の町の老舗書店と、その書店がある小さな商店街は、町長と町のひとびとの、生き残りをかけた努力や企画がちょうど実を結び始めていた時期でもあり、多くの旅行者を迎えていた。元々の住人だけでは対処が難しいほどに、華やかな、けれど忙しい日々を送っていて、苑絵を始めとする一整に縁がある書店員たちは、何かと桜野町を訪れ、桜風堂書店に手を貸す日々が続いていたのだった。

「なんというか、夢なんだよな、あの店は。現在進行形の、夢の本屋さんなんだ」

銀河堂書店の店長、柳田《やなぎた》は——彼自身も人一倍、桜野町に通っている書店員のひとりなのだけれど、ある夜、閉店の準備をしている銀河堂で、スタッフにそんな話をしたことがある。店内を片付けながら、どこか独り言のように。口元に優しい笑みを浮かべて。

「うちの店は大きな街の老舗の書店で、かつてほどの勢いはないにしても、まあ駅のそばの、星野百貨店の別館にある限り、よほどの冒険をしない限りはなんとか続けていけるだろう。そもそも親会社が安泰で、百貨店も盛り返して安泰、両者の創業家からは、なかば社会貢献のような意味合いで、店を続けてほしいと頼まれてもいる。今の時代、およそあり得ないと思えるほどの、幸せな書店だと思う。

けれど、月原の店——桜風堂書店は違う。町の規模そのものがいまは小さく、忘れられたような観光地で、住人の数も少ない。商店街も、和気藹々《わきあいあい》としてはいるけれど、どこか眠たげな、勢いがある町というわけではない。

そんな中で、あいつの継いだ店が、どんな風に生き延びていくか——どんな風にお客様を集め、この時代に書店を続けてゆくか。店を開け続け、未来へと進んでゆけるか——それを見守り、ともにあの店のこれからを夢見ることが、俺には多分、夢と奇跡の実現に立ち会うような気分なんだろうなあ」

床にモップをかけながら、柳田は話し続ける。

「——昨今、日本も世界も、ひどいニュースや悲しいニュースばかりじゃないか。俺なんか涙もろいもんだから、うちの猫たちをぎゅっと抱きしめて、ニュース見ながら泣くこともあるよ。もう、流行病《はやりやまい》も戦争もたくさんだ。それに伴う不況も、いろんな店や会社が潰れてゆくのも、もう嫌だ。本屋が潰れていくのも耐えられない。平和な世界で、みんなが楽しそうに本屋に来て、山ほど本を買って、飽きるくらい読み続ける――そんな世界が、俺は好きなんだ。そんな世界が、良いんだ。ついこないだまでは、当たり前にあったはずの世界なんだ。

あの時代をもう一度。当たり前の、和《なご》やかで、誰も泣かない時代に帰りたい。そんな夢はなかなか一朝一夕《いっちょういっせき》には叶《かな》わない。いやそれくらいわかってるさ。俺だってわかってるさ。俺はスーパーヒーローじゃない。この手にある本を一冊一冊売っていくしか能のない、一介《いっかい》の書店員に過ぎない。

けどさ。この俺にできることなら、少しでも力になれるのなら、あの山間の小さな古い商店街の、月原の店がうまくいくように、俺は手を貸したいんだ。そこからが俺の、未来へと続くはるかな夢の実現、祈りの実現に至る道なんだ。

だから、あの店にこの手を貸したいんだ」

柳田は、グローブのように大きな自分の手を、じっと見つめた。長年、たくさんの本を扱い、運び、並べた手には無数の古傷と皺《しわ》がある。その手を軽く握り、またモップをかけた。力を入れて、ごしごしと古い床を磨く。

そのそばで、棚に羽箒《はねぼうき》をかけながら、副店長の塚本が、穏やかな声でいった。

「そうですよね。何事も足下から。少しずつ灯《あか》りを灯《とも》していけば良いんだとわたしも思います。一朝一夕にみんなが幸せに本を買い、読んでくれるような世界は実現しませんからね。足下を照らしてゆく。それがいつかきっと、世界を明るくする。

その日は来ると、信じていても良いじゃないですか。おとなだって夢は見たい。少しばかり大きな夢でも、ひとつくらいはね」

柳田店長は太い首でうなずき、床をひときわ強く、ごしごしとこすった。

店長と副店長の言葉を聴きながら、苑絵はそっとうなずき、自分もまた同じことを願うのだと嚙みしめながら、児童書の棚の手入れをしていたのだった。

いま、のどかな田園を走る電車に揺られながら、苑絵は思う。

ひとが生涯の間に、その手でできることはあまりに少なく、きっとその多くのひとが、命かけて願うほどには、叶わない。叶う願いごとは、きっと、ほんの少し。ささやかなことばかり。

少なくとも、苑絵の小さな手には、できることもつかめるものも、たいしたことやものではないだろう。

わかっている。それくらいのこと、自分でちゃんとわかっている。

電車の窓から射し込む、秋の日差しを白く柔らかなてのひらに受けて、苑絵はため息をつく。

（でも——）

そっと光とぬくもりを握りしめるように、てのひらを握って、苑絵は窓の外の、近づいてくるなだらかな山脈を見上げる。

　桜野町と、いまはすでに懐かしく感じる商店街と、そして、古く小さな書店がある、その山の方を。

（だけど、わたしは、わたしにできることをしよう）

　踏みとどまり、立ち止まって、小さな書店の灯《ひ》を守る、そのための力になろう。

　そうしようとしているひとびとが、あの町にはいて、お店を愛してくれるお客様たちがいる。何より、大好きなひとがそこにいるのだから。


　その日の昼下がり、桜野町の桜風堂書店は、午前中の、いつもの町内の常連客たちの来訪の時間を終え、静かな時間が流れていた。この界隈《かいわい》は、ひとり暮らしのお年寄りが多いこともあり、遅めの朝食を商店街でとる客も多い。一整のブックカフェも、そんなお年寄りたちの朝食会場のひとつに選ばれるようになっていた。

　お年寄りたちは、新聞を読み合い、時事問題を語り合い、朝と夕方は流している、地元のラジオ番組の音楽や天気予報に耳を傾けたり、ふとした思い出を語り合ったりしながら、カフェの朝食に舌鼓《したつづみ》を打つ。

　朝食のメニューは、トーストにサラダ、ゆで卵にコーヒー、紅茶、あるいはミルクやジュースで、パンも野菜もハムも牛乳も地元の新鮮なものを仕入れて作っているので、どれも美味しい、ご馳走《ちそう》だと評判だった。

桜野町には、都市からの移住者の若者も多く住み始めたところで、そういったひとびとも、彼らの住処《すみか》であるアパートやホテルから、カフェに顔を出す機会も増えてきた。出勤や仕事を始める前にこの店に寄ってくれるのだ。

もともとそういうひとびとは、この店の本にも用があってやってくる。仕事関係の本や勉強のための本を見繕《みつくろ》い、趣味の雑誌も買ってきて、朝食をとりながら目を通すのが常だった。この店はブックカフェと名乗っていても、会計の済んだ本だけをカフェスペースに持ち込む決まりにしてあるのだった。

さて、一整のいれる飲み物や、出す軽食のメニューは、どんな年代の客にも等しくすこぶる好評で、

「店長さん、コーヒーいつもすごく美味《おい》しいよ。こんな田舎に引っ込んでないでさ、どこか都会で喫茶店開業できる腕じゃないの？」

なんて、年期を経た喫茶好きの客たちに惜しがられるほどだった。

そんなとき、一整は素直に笑って答えた。

「死んだ父がこういうことがうまくて。入れ方を教えるのも、上手でしたので。ぼくは父には敵《かな》いませんし、一生勝てる気がしないので、本屋さんの一角のカフェマスターで、ちょうどいいかな、と思っています」

生前の父が、まだ子どもだった一整に味見をさせてくれたような飲み物の味、作ってくれていたような軽食の味を、と記憶を辿りながら用意したメニューを褒《ほ》められるのは、亡き父もともに褒められたようで、嬉しかった。

人間が好きで、いつも笑顔で、お客様に喜ばれることを何より喜んでいた父が、もしいまここにいたら、この店を、一整が作る物が喜ばれることをどんなに喜んだろうと思う。本がたくさんある喫茶店を作るのが父の夢だったのだから。

そんな話をすると、涙もろい山里のひとびとは、うっすらと涙ぐみ、うなずきあったりするのだった。そして店内の端っこの方の席やカウンターで、きいていない振りをしていた若者たちが、目の端に浮いた涙を拭《ふ》いたりこらえたりするのにも、一整は気付いていていた。

カフェの開業からの日々が長くなるにつれ、地元のメディアに取り上げられたり、ネットで話題になる機会も増えてきて、それに伴って、少し遠くの町や村からも、お客様の来訪が増えてきた。そういったひとびとは、店内もきっと見て帰って、土産物の代わりのように、おすすめの本も買って帰ってくれた。

ちょっと高めだけれど、店の一押しの本が売れることもあり、そんなとき、来未《くるみ》と藤森《ふじもり》は嬉しそうにひそかにハイタッチをしていたりもした。

そんなこんなで、どちらかというと悲観的で心配性の一整の覚悟とは裏腹に、桜風堂書店のカフェスペースは大好評といっていいほどのスタートを切ることができたのだった。

藤森が澄ました笑顔で、

「ま、うちの店には看板店長と看板オヤジ、看板娘に看板孫息子までいるからね」

店長、というときはまなざしで一整を見やり、オヤジ、というときは親指で自分を差し、看板娘と振り返られた来未は、お盆を手に、その場で軽くポーズをとった。看板孫息子、こと透《とおる》は照れたように笑って、来未の手を取ると、さりげなくステップを踏んだ。

藤森がよしよしと得意気に笑うと、三毛猫のアリスが床で不満げに大きく口を開けて鳴いた。

藤森は慌てたように、その身をかがめて、

「こりゃ済まなかった。もちろん、看板猫もいつも可愛く、頑張ってて偉いさ」

と、謝ったりしたのだった。

透がアリスを抱き上げて、顔を見合わせ、

「『あたしはただの看板猫じゃないの。招き猫も兼ねてるのよ』、っていってるよ」

そういって笑った。「鼠《ねずみ》を追い払ったりもしてるんだってさ」

最初に一整が出会ったとき、小さく華奢《きやしや》だった子猫と少年は、いまはおとなの三毛猫と、中学生になった。一匹とひとりは、すらりと大きくなり、店を支えるスタッフとして、頼もしい存在になっていた。

一整の目から見て透は、毎日見ていたせいなのか、いつまでも小さな子どものように思えていたけれど、じきに母の住む都会に戻り、そこで何か本に関係する仕事に就くための勉強をするか、資格を取ることを考えているらしい。

この秋、その話を聞かされたときの、透の澄んだまなざしと声が一整は忘れられない。

小さかった頃のように一心にこちらを見上げるのではなく、もっと近い高さから、穏やかに一整に向けるまなざしと、声変わりした声を。

「月原さんがこのお店を守っていてくれることで、ぼくは安心してこの地を離れることができます。ありがとうございます」

おとなびた声と表情でお礼をいわれたとき、ああこの子はいつまでも自分が守るべき子どもではないのだな、と一整は噛みしめた。

ここにいるのは、ともに同じ店を、町を守ろうとする若き仲間なのだ。

「この先、この町を離れるとしても、ぼくはきっと帰ってきます」

物語の主人公のように、少年は誓《ちか》った。

そして今日、月原一整は、銀のミルクピッチャーを磨きながら、ときどき壁の時計を気にしていた。

午後に苑絵が最寄り駅に着く予定で、そう思うと、つい表情がほころんでしまうのが、恥ずかしいような情けないような気持ちになって、口元を押さえたりした。

そんな一整をそれとなく様子をうかがうようにしている店のスタッフの笑みも視界の端に入り、でもそれに気付かないふりをして、

「ええと、ひとの流れも一段落したみたいですし、様子を見てお昼をとりましょうか」

はいはい、と各自、仕事の頃合いを見つつ、早めの昼食をいつものように時間をずらしてとろうとし始め、気を利かせた透がいち早く、母屋の台所に簡単な食事を用意しに出かけたのとすれ違うように、

「おはようございます」

街外れに住む、拝《おが》み屋《や》のおばあさんが、カフェの側のガラスの扉を開けて、ひょこりと顔をのぞかせた。

良く日に焼けた、元気なおばあさんで、どことなく馬鈴薯《ばれいしょ》に似ている皺のある顔に、澄んだ小さな黒い瞳がきらきらと光っている。手縫い風の古びた作務衣《さむえ》を着て、少し曲がった背中をして、光の中に立っていた。

一整には、拝み屋さんという存在がどういうものなのか、いまひとつわかっていないけれど、どうも古くからこの町にあって、まじないをしたり、魔除《まよ》けの呪文を唱えたり、赤ちゃんが生まれれば名付けをしたり、と代々そんな仕事をする古い家柄のいまの代のひとらしい。西洋風にいえば、魔女や魔法使いのようなひとなのかな、と、一整は思っていた。

一整自身は、そういった魔法や不思議なことを、百パーセント信じているわけではないけれど、そういった存在を信じないよりは信じた方が楽しくて、息苦しくないような気がしていて、おばあさんには親しみと畏怖《いふ》のようなものを感じていた。

それに、おばあさんは、この店に、様々な魔法めいたものを――藁《わら》で編《あ》んで木の実を飾ったリースや、薄《すすき》の穂で作ったふくろう、和紙を折って作った、可愛らしいお守りを売り物として持ってきてくれる常連でもあった。

おばあさんの作る細工物は、持っていると良いことがあると評判で、いつも入荷するそばから売れていってしまう。

売れたお金で、時代小説の文庫本や、週刊誌、カフェに置いている手造りのクッキーやドーナツを嬉しそうに買って帰るおばあさんは、いつもとても愛らしく見えた。そんなときは、拝み屋さん、などという、現実離れした職業のひとだとは見えない、ただの常連のお客様のひとりでもあった。

今日も何か、品物を持ってきてくれたのかな、と思ったけれど、特に手に荷物を提《さ》げているようでもない。

ただにこにこと、カフェのカウンターの中にいる一整のそばに近づいてきて、ふわりと見上げ、

「あの、可愛いお嬢さんがいらっしゃるのは今日だったかしらね?」

いつも通りの、あたたかな声で訊ねてきた。

「あ……卯佐美さんのことでしょうか。はい」

一整が答えると、おばあさんはつぶらな瞳を、きゅっと細めて柔和《にゅうわ》な笑顔を作った。

いつだったか、苑絵が桜風堂を手伝いに来てくれていたとき、何の話をしていたのか、ふたりで楽しげに笑い合っているのを見たことがある。

苑絵は、接客業で働くにはあまり向いていないように思えるほど、内気でひとの影に隠れがちな娘だ。商品知識はたしかでよく勉強もしているけれど、何かと無器用だし、受け答えや仕事が早い方ではない。けれどいつもひとに対して誠実で、真《しん》摯《し》な受け答えをするので、勤め先の銀河堂書店でも、ここ桜風堂書店でも、お客様に信頼され、いつか多くのファンがつく——そういうタイプの書店員だった。

さては拝み屋のおばあさんも苑絵を気に入ってくれたのだろうか、と、一整はど

こかほっこりと嬉しくなったのだけれど、同時に少しだけ背中が寒くなったのは、今日の午後に苑絵がこの町に来るということを、このひとはどうして知っているのだろうと思ったからだった。

今日の彼女の来訪は急に決まったことで、この町でそれを知っているのは一整と、さっき話したばかりの店のスタッフ、苑絵が宿を取った観光ホテルのひとびとしかいない。ホテルのひとびとは仕事柄、宿泊の予定を漏らすはずもなく、朝の慌ただしい時間の間、桜風堂書店のスタッフが、町のひとびとに苑絵のことを話す時間もなかったはずだ。

（なんで卯佐美さんが来ることを知っている――いや、わかったんだろう？）

おばあさんは、柔和な笑顔のまま、ふと、声を潜《ひそ》めるようにして、いった。

「――これをね、あのお嬢さんに渡してほしいの」

作務衣のポケットから出して、カウンターの上に、すっと差し出したのは、白い和紙で折って作られた、小さなお守りらしきものだった。鳥の形をして、赤い文字で何か読めない言葉が書いてある。呪文のようだ。

見上げる黒い瞳が、一整を見つめた。

「魔除けのお守りなの。――あのね、あのお嬢さんは、とっても優しくて、心が水みたいに澄んできれいでしょう。そういう子はね、『悲しい』魔物にも好かれてしまう。救ってくれるんじゃないかとすがられてしまうから」

「ええと……あの」

急に、物語か映画の中に引き込まれたような気がした。

一整が戸惑い、言葉を探していると、おばあさんは、そんな反応には慣れているのだ、というように、鷹揚《おうよう》な笑顔を浮かべ、

「わたしの言葉はね、信じなくても良いから、これをあの子に渡して欲しいのよ。でないとね、あのお嬢さんは、いなくなってしまうかも知れない。どこか遠いところへ連れて行かれてしまうかも知れないから」

指先まで押し出されて、一整が半ば仕方なくそのお守りを受け取ると、おばあさんは夜の湖のような、黒々とした瞳で、一整を見つめた。

口元が、柔らかく微笑《ほほえ》んだ。

「店長さんはね、この桜野町を好いていてくださって、それはありがたい、嬉しいことなんだけどね。感謝していますよ、ええ。たぶん、町の者みんながね。この店を継いで、本屋さんをこの地に残してくださって、ありがとう。——だけどね、ここは少しばかり不思議な土地で、神様や精霊の住まうところにとても近い。その代わり、世の理《ことわり》からいくらか外れた、恐ろしい土地でもあるの。

店長さんも、これまでに不思議なことも色々あったでしょう。桜野町は、魔法や

魔物がいまも息づく、そんな土地であることを忘れずにいてね。小さな子どもや心のきれいなひとは、気をつけて守ってあげないといけないの」

そのとき、透が魔法瓶やおむすびを持って、母屋《おもや》から帰ってきた。来客に気付くと、小さな子どものような表情で笑う。

「拝み屋のおばあちゃん、おはようございます。おむすび、食べていきませんか？」

「あらあら、いいの？」

「はい。ゆかりとツナと、梅干しがあるけど、どれがいい？」

「わあ、迷っちゃうねえ」

拝み屋のおばあさんも笑顔で答える。その笑顔はどこにでもいそうな田舎のおばあちゃん、ただ明るく優しいばかりで、つい今し方まで漂っていたどこかしら妖《あや》しげな、謎めいた雰囲気は欠片《かけら》も感じられなかった。

卯佐美苑絵は、駅からタクシーに乗り、桜野町の観光ホテルへ移動した。いつものようにここに荷物を置いてから、桜風堂へ向かう予定だった。

木造のクラシックホテルは今日も美しく、苑絵を迎えてくれた。

正面玄関には、ホテルのひと——若いベルボーイがもう待っていて、

「お帰りなさいませ、卯佐美のお嬢様」

笑顔で頭を下げ、荷物を受け取ってくれる。

このホテルは、元々、苑絵の母が先に泊まったホテルであり、ふたりともが常連である。なので、苑絵の母は、「卯佐美の奥様」、苑絵は「お嬢様」と呼ばれるのだった。

桜野町を訪れるたびにこのホテルに泊まるので、いまは苑絵もすっかり、ここが第二の家のような場所になっていた。

正面玄関のフロアに足を踏み入れると、ああ帰ってきた、と思ってしまう。旅の疲れも、すべて忘れてしまう。

戦前からここに立っている、歴史ある建物は静かで、広々としている。見上げると高い天井には、シャンデリアが輝いている。チクタクと音が響くのは、このフロアの奥、エレベーターホールのそばに飾ってある、見上げるほど大きな柱時計の音。ガラスの扉の中で、金色の振り子が光って見える。それは見事な時計で、このホテルの開業のその日からここに立っているのだとか。物語の中に出てくるような時計だわ、と、見るたびに苑絵は思う。――たとえば、『トムは真夜中の庭で』に出てくる、十三回の時を打つ時計って、あんな時計だったのではないかしら。

子どもの時から好きで、何度も読み返したイギリスの児童文学のことを思い出す。そうだ、あの時計を見るたびに連想してしまうのだ。物語の時間を操るように、思うままに時を告げるあの時計のことを。

弟がはしかにかかって、自分ひとり親戚の住むアパートに行くことになった、元気で冒険好きな少年トムが、夜ごと時を越えて、過去の世界へ赴《おもむ》き、ビクトリア朝に生きるひとりの孤独な少女と出会い、友達になる。――そんな物語で、苑絵はふたりが遊ぶ庭の描写《びょうしゃ》や、草花の描写、少女ハティの着るエプロンの描写が好きだった。まるで絵のように、映画のように描写してあって、自分もその庭に立っているような気持ちになるからだった。それと、魔法のようなその時間の中で、友達になり、別れ、再会するふたりの物語が、なんだかとても素敵に思えて、ラストシーンは自分もその場で、ふたりをぎゅっと抱きしめたくなったりするのだった。

大きなホテルの玄関には、季節ごとに見事な花が飾られるものだけれど、いまは秋の野山の草花や木々の枝とともに、恐ろしげな顔がくりぬかれた、大小の黄色いかぼちゃや、魔女や黒猫の人形が飾られていた。ハロウィンの時期でもある、ということなのだろう。

まるで、魔女や黒猫が野山を――この桜野町を訪れ、佇《たたず》んでいるような、そんな楽しげで少し妖しげな空間が繰り広げられていた。

「可愛い」と、苑絵は声を上げた。「わたしね、魔女って好きなんです。子どもの頃、魔女になりたかったこともあるの」

フロントのカウンターに向かってホールを歩きながら、苑絵は弾む気持ちのまま、傍《かたわ》らを進むベルボーイに語りかける。

いつも週末は――特に最近は、旅行者たちの気配と賑わいがあるホテルだけれど、今日この時間はホテルのひとびとの姿以外は見えない。静かにBGMだけが流れていた。

「そうですか」と、ベルボーイは笑みを浮かべる。「というとやはり、魔法のほうきにのって空を飛びたかったとか、そんな感じでしょうか？　わたしにもそのお気持ちは、わかるような気もいたします」

「それもあるけど――」

静かに、苑絵は首を横に振る。少しだけ、子どもの頃のさみしかった気持ちを思いだして、心がちくりと痛んだ。「人間の世界で生きるのは辛《つら》いことが多いから、魔女になってどこかの森の奥で、ひとりで静かに本を読んで暮らしていければ良いな、って思っている子どもだったの」

人間の女の子じゃなくて、魔女の女の子ならば、ひとりで生きていても誰にも何もいわれない、なんて思っていた時期があった。魔女の女の子なら、友達がいなくてもいい。人間の女の子だと、そうはいかないから。

子どもの頃、見たものをカメラで撮ったように記憶してしまう、写真みたいにリアルな絵を描く、魔女みたいだと虐《いじ》められていた頃のことだ。

その後、転校生としてやって来た渚砂《なぎさ》との出会いがあり、彼女という無二《むに》の親友ができてくれたから、人間の女の子として友達と話し、遊ぶことの――生きることの楽しさを知った。魔女になりたい、ひとりで生きたい、なんて、願わなくなったのだけれど。

「なるほど。お嬢様は、静けさと本がお好きなお子様でいらしたのですね」

ふふ、と苑絵は笑った。

「そうね。ある意味、ちょっと若さがないっていうか、おばあさんみたいな子どもだったかも」

苑絵はアンバランスに心の成長が早い子どもでもあり、その頃には本を通して、世界や人間の恐ろしいところをいくらも知っていたので、よけいに人間社会というものに恐怖を感じ、背中を向けたいと思っていたのかも知れない、といまは思う。

（いまは――いまも、人間は怖いけれど、優しいひともいるって知ってるから）

苑絵のそばには、良いひとたちがたくさんいる。そしてたぶん、苑絵自身も強くなった。

世界が怖いところなら、暗くてひどいところなら、ささやかでも灯を灯そうと願うことができるおとなになった。

（この手で光を灯せばいいんだ。たとえ、小さくても）

そんな風に生きるひとびとのそのそばで、苑絵も自分の灯を灯す。

ひとりひとりの手の中の光は小さくとも、みんなで灯りを灯せば、きっと世界はいつか、光り輝くだろう。

フロントでチェックインの手続きをして、部屋の鍵を、ベルボーイが受け取る。エレベーターホールに向けて歩き始めたとき、苑絵は、ホールの入り口に飾ってある小さな肖像画に目を留めた。その辺りに何枚も飾ってある大小様々な絵の中の、その一枚だ。

年の頃は、十代初めくらいだろうか。金髪の寂しげな少女の、パステルで描かれた肖像画がある。ひどくやつれて、頬がこけ、青い目はくぼんでいる。そうして、こちらを悲しそうな目でじっと見つめているのだ。とても孤独で、視線が合いながらも、こちらに何も求めていない、と、無気力に諦《あきら》めて拒絶するような、けれど、どうか助けてほしい、とすがるような、そんなまなざしで。

「――あの、この絵は」

苑絵は絵を描く娘だから、いつもその絵のことが気になっていた。誰がいつ描いた絵で、なぜここにあるのかと。けれど、その絵の前を通り過ぎるときは、すぐにエレベーターに乗ってしまうことが多い。ホテルに滞在中は、桜風堂や商店街で忙しい時間を過ごすことが多いので、この場所でのんびり絵を鑑賞する時間はとれない。ホテルに戻ってくる頃は疲れていてすぐ眠ってしまうし、翌日はぎりぎりまで部屋で眠っていて、チェックアウトして帰ってしまう。旅先での時間は、いつもいつだって、砂時計の砂が落ちるように、急ぎ足でさらさらと過ぎ去ってしまう。

気がつくと、今日まで、この絵のことを誰かに訊ねる機会が、なかったのだった。

「ああ、こちらの絵は、画家のローズ・Rさんの自画像です。当館に長く滞在されていたことがおありになって、そのとき記念にと残されていった、とうかがっております」

「え」

苑絵は、言葉を呑み、絵の前にしばし佇んだ。――この悲しげな肖像画は、あの絵本画家の描いたものだったのか。

苑絵には、子どもの頃に大切にしていた一冊の絵本があった。大好きな絵本だったけれど、なくしてしまったので、記憶を掘り起こすようにして、最近になってやっと、その絵本の著者の名前を見つけ出したところだった。太平洋戦争末期の頃、少女だったドイツ人で、祖母が日本人。その縁あって日本で暮らしていた時期があるという。長い戦争が終わり、平和が訪れて、いくらかした頃に、日本を訪れしばし暮らした。その後日本を離れ、アメリカに渡ったという。

叶うなら、もう一度あの絵本を探して、手元に置きたい、それが無理なら、同じ著者の他の作品を、と願って探し当てた情報だったけれど、その絵本画家はたくさんの絵を残しつつ、ずいぶん昔に行方知れずになっていて、著作はあのなくした絵本ただ一冊とわかったのだった。

「あの方が、ここで暮らしていらした時期があるのですね」

「はい。戦争が終わった後、おからだを悪くされていたので、当館でしばらく養《よう》生《じょう》なさっていた、と聞いております。いくらかお元気になった後、遠い親族がおいでのアメリカに渡られたとか」

ベルボーイはあまり詳しくは語らない。

かつての宿泊客のことを、どこまで苑絵に話すべきなのか、思案しているのだろうわずかな迷いが伝わってくる。

苑絵は知っている。その画家は少女期、ユダヤ人の血を引いているということで、アウシュビッツ収容所に送られたのだ。家族とともにその地へ行き、彼女だけが生き延びた。その後、血縁のいる日本に引き取られ、いくつかの町で暮らし、しばしからだと心を休めた後、他の血縁を頼って、アメリカに渡ったのだ。

あの絵本を書いたのは日本にいた時期で、アメリカに渡ってのちは、生きる気力をなくして、ひとりぼっちのアパートの一室で、荒れた生活を送っていたのだとか。

絶版になった彼女の生涯の記録によると、収容所で亡くした家族への想《いた》いと、その場所で見たさまざまなことが、彼女の魂をさいなみ続け、彼女はその傷みと苦しさから逃れられず、世界と人間を恐れながら、死の世界に憧れ自暴自棄になっていたようだという。行方知れずになったあとはおそらくは自死したのだろうと。

彼女にはもはやそこしか、心安らげる場所はなかったのだ。

苑絵は胸元で手を握りしめ、自画像を見つめた。

孤独な画家の、その魂の欠片《かけら》がここにあり、苑絵を時の彼方《かなた》から見つめているようだった。

柱時計が、静かに、どこか鎮魂《ちんこん》の歌をうたうように、時を告げる鐘を鳴らした。

〈つづく〉

さよなら校長先生 10 後編

こんぺいとう

滝羽麻子

Takiwa Asako

同じ曜日のレッスンに通うことになった涼花《すずか》とミチルは、その後もどんどん仲よくなった。

仲がいいといっても、小学校は別々だから、顔を合わせるのはスイミングスクールの日だけだ。それも、行き帰りのバスも含めて二時間程度にすぎない。でも、そうして時間が限られているのでなおさら、一緒にいられるひとときは貴重だった。

泳ぐこと自体も、涼花にとっては楽しかった。運動神経はもともと悪くないほうだし、走るにしても球技にしても体を動かすのは得意だけれど、水中で全身がふわっと軽くなる感覚は格別だった。まずはクロールができるようになり、平泳ぎや背泳ぎも順調に習得していった。

一方、ミチルは苦戦していた。どうにかプールに体をひたすことに成功してからも、顔を水につけられるようになるまでが、また長かった。息継ぎがどうしてもうまくできないらしく、鼻や口に水が入るたびに泣きべそをかいていた。

涼花は陰ながら応援していた。時間がかかっても、ミチルが前へ進めているのは確かだった。水泳に限らず、ピアノでもお習字でも、習いごとというのは階段を一段ずつ上っていくようなものだ。その速度には個人差があるけれど、あせらず地道に努力していれば、着実に上達していく。

ところが、ミチルの場合はちょっと違った。

一階から二階まで上るには、涼花の何倍もの時間が必要だった。しかしながら、二階から三階に向かう踊り場――ちょうどスクールに通い出して二年目にさしかかる頃――あたりで、突如としてはずみがついた。

息継ぎと潜水《せんすい》に次いで、それまで持て余しぎみだった長い手足を水中で自在に動かすコツもつかんだミチルは、レーンの誰よりも速く泳げるようになった。

一段飛ばし、いや数段飛ばしで、ミチルは一気に階段を駆けあがっていった。しごく軽々と、息を切らしもせずに、あっけにとられている涼花や他の子たちをまたたくまに追い抜いた。

コーチも、涼花を含めた生徒たちも、ミチルのめざましい進歩に仰天《ぎょうてん》した。ミチルの泳ぎは、速いだけではなかった。水をかくフォームやら息継ぎのタイミングやら、専門的なところはよくわかっていない涼花の目から見ても、明らかに美しかった。涼花は泳ぐとき、力いっぱい水をかきわけて前へ進んでいく。でもミチルの場合は、水の流れに体が自然に運ばれているみたいに見えた。人魚みたい、と誰かがもらした感嘆《かんたん》の声を聞いて、そのとおりだと涼花も思った。ミチルのしなやかで優雅《ゆうが》な泳ぎは、水中で暮らす生きものを想起させた。

前途有望《ぜんとゆうぼう》な生徒を前にして、コーチも俄然《がぜん》はりきった。熱心な指導を受けたミチルは、いよいよ早く、美しく泳げるようになった。

「どうやったらそんなふうに泳げるの？」

涼花がたずねると、ミチルは困った顔で首をかしげた。

「よくわかんないけど、突然できるようになった」

いったいなにが起きたのか、本人にさえ説明できないらしかった。

ともあれ、仲よしの友達が並はずれた才能を開花させたことは、涼花にとっても素直に喜ばしかった。ミチルが褒《ほ》められ注目されるようになって、自分のことのようにうれしかったし、誇《ほこ》らしかった。

もちろん、今でもうれしい。友達として、ミチルにはこれからも活躍してほしいと願っている。心から。

ママは勘違いしているみたいだけれど、涼花はミチルと自分を比べるつもりはない。ひがんだり、いじけたり、うらやんだりもしていない。

涼花は負けずぎらいだね、とママにもパパにもよく言われる。その自覚もある。涼花と同時期に入会した生徒はミチル以外にも何人かいて、その子たちよりタイムが遅かったり進級テストで先を越されてしまったりすると、すごく悔しい。もっとがんばって練習しなければ、とあせりもする。

なのに、ミチルに対してだけは、張りあおうという気持ちが一切わいてこない。自分自身と比べて一喜一憂《いっきいちゆう》するには、あまりにも差が大きすぎる。なんというか、別格なのだ。

半年ほど前、二年生の冬休みに、涼花は徹底的にそう思い知らされた。

レッスンの後、涼花たちがロビーに出たら、珍しくミチルのママが迎えにきていた。スクールのロゴが入ったジャージを着た女性スタッフと、立ち話をしている。遠目には担当のコーチかなと思ったけれど、近くで見ると知らない顔だった。

「ああ、ミチル。涼花ちゃん、おひさしぶり」

ミチルのママが手を振った。見知らぬコーチもこっちに向き直った。

「ミチルちゃん？　はじめまして」

はきはきと名乗り、選手コースの担当をしていると言った。

前回までのあらすじ

小学生の涼花は社会科の宿題のため祖母・シズエに会いたいと連絡を取った。予定があるけれど「一緒に来る？」と誘われ、連れ立った先のレトロな喫茶店で祖母の友人である高村正子と出会う。祖母と祖母の友人の五十年にわたるという関係に驚きつつ、涼花は水泳の競技会に出場しているミチルのことを考える。

選手コースの存在は、涼花も知っていた。文字どおり水泳選手をめざせるような、実力のある子が選抜されて、少数精鋭で特訓を受けるのだ。

「来月から、よろしくね」

コーチがミチルに言った。

「来月から？」

涼花は声を上げてしまった。思いのほか、大きな声が出た。

ミチルの上達ぶりを考えれば、選手コースに通わないかと声がかかっても全然おかしくなかったけれど、本人はなんにも言っていなかった。涼花のほうからも、特にたずねなかった。今にして思えば、無意識のうちに避けていたのかもしれない。ミチルと離れ離れになってしまう可能性を、深く考えたくなかったから。

「うん」

ミチルは細い声で答えた。

「ミチル、涼花ちゃんにまだ話してなかったの？」

ミチルのママは意外そうに娘たちを見比べてから、気を取り直したように笑顔に戻った。涼花に向かって頭を下げる。

「ミチルがここまで泳げるようになったのは、涼花ちゃんが誘ってくれたおかげだよ。本当に、ありがとう」

かしこまってお礼を言われ、涼花は返事に困った。ミチルのママはかまわず続けた。

「体験入会のときに、もし涼花ちゃんが助けてくれなかったら、ミチルは今も泳げないままだったかも。そう考えたら、感謝してもしきれない」

ね、と同意を求められて、ミチルもこっくりとうなずいた。

「ミチルちゃんは、もっともっと泳げるようになるよ。一緒にがんばろう」

コーチが自信ありげに言いきり、涼花に視線を移した。

「これからも、応援してあげてね」

ミチルも、ミチルのママも、つられたようにこっちを向いた。

「がんばってね」

涼花は言った。そうとしか言いようがなかった。

涼花はエビピラフ、おばあちゃんはミックスサンドイッチ、正子さんはナポリタンを注文した。

「デザートとコーヒーは、後でまたお願いします」

「かしこまりました」

正子さんと店員さんが話している隙に、涼花はおばあちゃんの腕をつついた。

「ナポリタンってなに？」

声をひそめたつもりだったのに、正子さんにも聞こえてしまったようだ。

「あら、涼花ちゃんは食べたことない？」

「ケチャップ味のスパゲッティよ」

おばあちゃんが教えてくれる。

「ケチャップってことは、トマト味ってこと？　ミートソースとは違うの？」

「違う」

おばあちゃんと正子さんが、そろってきっぱりと首を振った。やっぱり絶妙に息が合っている。

「最近、あんまり見かけなくなったかもね。昔はどこの喫茶店にもあったのに」

「しかたないわ。これぞ昭和の料理、って感じだものね」

「涼ちゃん、昭和はわかる？」

おばあちゃんにたずねられて、涼花はうなずいた。

「知ってるよ。平成の前でしょ？」

パパもママも、昭和生まれだ。小学生の頃は、まだインターネットは今ほど普及していなかったし、スマホなんて影も形もなかったらしい。信じられないよね、とふたりともなぜだか得意げに言うけれど、めちゃくちゃ不便だったに違いない。

「そうだ、涼ちゃんは昔の話を知りたいのよね？　待ってる間にやろうか」

おばあちゃんにうながされて、涼花はかばんからノートを出した。

「昔って、どのくらい昔？」

正子さんが首をかしげた。

「自分が生まれるより前なら、いつでも」

「涼花ちゃんは三年生だっけ？　じゃあ、九年以上前ならいいってことね」

「九年前なんて、つい最近じゃないの」

おばあちゃんが不満げに言う。

「いっそ五十年前にしたらどう？」

正子さんがふふっと笑って、賛成、と言った。

「われわれの若かりし頃ってことね」

おばあちゃんと正子さんは、町の様子をかわるがわる話してくれた。

今では建売住宅が並んでいる駅の反対側は、見渡す限り田んぼしかなかったこと。市民会館が建っている一画に、市場があったこと。河川敷《かせんじき》がまだ整備されていなくて、メダカやザリガニがとれるので男子に人気があったこと。でも大きな台風が来ると一帯が水びたしになって大変だったこと。涼花はせっせとノートに書きとめていく。

「駅前の商店街も、もっとにぎやかだったわよね」

「今でもがんばってるお店もあるけどね。お肉屋さんとか酒屋さんとかは、五十年前にもあったはず。さすがに、どこも代替わりしてるけど」

「そういえば、酒屋の坊ちゃん、わたしが新任のときに担任したのよ」

「梅本さん？」

「そうそう」

「涼ちゃんの通ってる第三小も、今とは全然違ったんだよ」

おばあちゃんが涼花に言った。

「そうね、木造で冬は冷えるし、夜はおばけなんか出そうな感じだった」

「戦前からあったんだもの。バブルの頃に建て替えたんだっけ」

「それっていつ？」

涼花がたずねると、ふたりは顔を見あわせた。

「八〇年代の後半から、九〇年代の頭くらいかしらね」

「涼ちゃんのパパが生まれて、小学校に上がるか上がらないかって頃かな」

大昔だ。

「ていうか、バブルってなに？」

正子さんとおばあちゃんが再び顔を見あわせた。

「バブルっていうのは、泡って意味でね。その時代には、いろんな理由が重なって、株や土地の値段がどんどん、どんどん上がっていったの。ちょうど、しゃぼん玉がふくらむみたいに」

　正子さんが両手を大きく広げてみせた。

「でもね、永久にふくらみ続けるしゃぼん玉なんて存在しないでしょう？　いつまでも息を吹きこみ続けてたら、さて、どうなるでしょうか？」

　途中からだんだん先生っぽい口調になっていく。涼花はおそるおそる答えた。

「破裂《はれつ》しちゃう？」

「正解です」

　正子さんが手のひらを胸の前で合わせた。

「ぱちんとはじけて、土地も株もあれよあれよと大暴落。日本中が大変なことになりました」

「ほんとに大変だったのよ」

　おばあちゃんも、うんうんとうなずいている。

「かなりざっくり説明しちゃったけど、詳しくは自分で調べてみてね。なんでそんなことになったのか、その後どうなったのか」

「また今度、図書館に行って本を探してみようか」

おばあちゃんが涼花に言った。

「ネットじゃだめ?」

「もちろんかまわないけど、しっかりした情報を選んでね。できれば、ご両親やおばあちゃんに確認してもらって」

正子さんが答えた。

「え、わたし?」

水を向けられたおばあちゃんが、眉を寄せる。

「ネットはあんまり得意じゃないんだけど」

「ふふ、実はわたしも」

正子さんがいたずらっぽく首をすくめた。

「それにしても、こういうことをわかりやすく説明するのって、本当に難しいわね。ひさしぶりに思い出した」

「ひさしぶり、ってほどじゃないでしょ。正子さんがそんなこと言ったら、わたしはどうなるの」

「いえいえ、わたしだって現場を離れて長いもの。シズエさんこそ、涼花ちゃんがそばにいてくれるじゃないの。脳みそが若返りそう」

振り子時計が相槌《あいづち》を打つように、ぼーん、と鳴った。

テーブルに運ばれてきたナポリタンは、一見ミートソースに似ているものの、確かに別物だった。

ママの作るミートソーススパゲッティは、挽肉の入ったどろっとしたトマトソースがかかっているけれど、ナポリタンは麺そのものに赤く色がついている。スパゲティと具材をケチャップでいためあわせてあるらしい。「カレーライスとカレーピラフくらい違う」という正子さんの説明に、現物を前にして納得がいった。

注文したときのやりとりを店員さんも覚えていたようで、気を利かせて取り分け用の小皿を出してくれた。せっかくなので、涼花も味見させてもらった。

「おいしい？」

「はい」

気の利いた褒め言葉をとっさに思いつかず、しかたなく正直な感想を伝えた。

「ケチャップの味がする」

「ナポリタンだもの」

正子さんは満足げにうなずいた。真っ赤な麺を、フォークにくるくると器用に巻きつける。

食事中も、正子さんとおばあちゃんは休みなく喋っていた。家族のこと、共通の知りあいのこと、正子さんの引っ越しのこと、話題はめまぐるしく変わった。

「すごく快適なの。もっと早くに入りたかったくらい」

正子さんは新居の魅力を熱弁した。施設の中に、図書室やスポーツジムまで入っているという。

「いいなあ」

おばあちゃんは子どもみたいにうらやましげな声を上げている。

今日のおばあちゃんは、なんだかいつもと違う。声が大きめで、口数も多い。心もち早口なのは、話したいことがたくさんあるからだろうか。それに、ちょっとしたことで、すぐにくすくす笑い出す。

「入居者どうしも、つかず離れずでいい感じよ。そうだ、先月から俳句を習い出してね。同じ階に住んでる方がサークルに入ってて、誘って下さって」

正子さんが言って、涼花に目を向けた。

「涼花ちゃんは、なにか習いごとはしてるの？」

聞き役に回っていた涼花は、急に話を振られてどぎまぎした。

「はい。ピアノとお習字と、あとスイミングも」

「いいわね、文武両道で」

「もしかして正子さんのところ、プールもあったりするの？」

「さすがにないわね。体操と、あとフラダンスの教室はあるけど」

とりとめのないお喋りを半分聞き流しつつ、涼花はそれとなく壁の時計をうかがった。振り子が規則正しく左右に揺れている。

ひととおり食事を終えると、正子さんが涼花にメニュウを差し出した。

「涼花ちゃん、デザートはどうする？」

三人で見られるように、涼花が冊子をテーブルの真ん中に広げようとしたら、おばあちゃんに手ぶりで押しとどめられた。

「おばあちゃんたちはいいの。もう決まってるから」

目くばせされた正子さんが、おもむろに言葉を継ぐ。

「わたしがフルーツパフェで、シズエさんはチョコレートパフェ」

この店に来るたびに、決まって同じものを注文しているらしい。パフェも魅力的だけれど、涼花はまたしても気になる一品を見つけてしまった。

「プリンアラモードって、なあに？」

プリンはわかる。でも、アラモードってなんだろう。食材か、味つけか、それとも「特別」とか「限定版」みたいな意味あいだろうか。

「バブルよりは、だいぶ説明しやすいわね」

おばあちゃんが笑って答えた。

「お店によって違うけど、たぶんプリンの周りに果物を盛りつけてあるんだと思うよ。どんな感じか、お店のひとに聞いてみる？」

「うん」

さっそく、正子さんが店員さんに声をかけた。プリンと一緒にフルーツとアイスが盛りあわせてあると教えてもらい、涼花は食べてみることに決めた。

「アラモードって、フランス語で流行とか最新とかいう意味なんだって」

注文を待つ間に、おばあちゃんが教えてくれた。

「っていっても、プリンアラモード自体は、日本が発祥らしいけど。おしゃれで洗練されたプリン、って感じで命名したのかも」

これもちょっと昭和の香りがするね、と言い添える。

「ふうん、そういう意味なのね。知らなかった」

正子さんにも初耳だったらしい。

「シズエさん、物知りね」

「正子さんほどじゃないけどね」

おばあちゃんは照れくさそうに顔の前で手を振った。

「とんでもない。特に語学は、からきしだめだもの。知ってるでしょ？」

「そういえば、さっちゃんはお元気？」

おばあちゃんがたずねた。脈絡なく知らない名前が登場して、涼花がやや面食らったのを察したらしく、

「正子さんのお嬢さんはね、カナダに住んでるの」

と補足してくれる。

「元気みたいよ。家を売るのも引っ越すのも事後報告だったから、ちょっと怒ってたけどね」

正子さんはさばさばと言う。

「えっ、なんにも相談しなかったの？」

「あの子も忙しいから、自分でできることは自分でやっちゃおうと思って。向こうは向こうで、勝手にやってるし」

「お宅はほんとに、似た者親子ねえ」

おばあちゃんが小さく頭を振った。

「まあでも、そんなふうにそれぞれ好きにやれるっていうのは、信頼しあってるって証拠よね」

それもそうかも、と涼花は思ったけれど、「どうかしら」と当の正子さんはひょいと首をすくめてみせた。

「信頼してるっていうより、あきらめてるんじゃない？　お互いに」

信頼とあきらめでは、大違いだ。

おばあちゃんがまたなにか言いたげに口を開きかけたところへ、店員さんがお盆を持って近づいてきた。

「お待たせしました、プリンアラモードです」

うやうやしく差し出された、ひらたい大皿をひとめ見て、涼花は歓声を上げた。

「わあ、かわいい」

お皿の中央にカラメルのかかったプリンがのせられ、その周りを色とりどりのフルーツが取り囲んでいる。メロンにいちご、桃やりんごからバナナまで、それぞれ凝《こ》ったかたちに切ってある。プリンのてっぺんに飾られた真っ赤なさくらんぼも愛らしく、アラモードという華やかな名前にふさわしい彩りの一皿だった。

次いで、おばあちゃんの前にチョコレートパフェ、正子さんの前にはフルーツパフェが置かれた。どちらも、背の高いグラス型の器に盛りつけてある。

店員さんが背を向けるなり、おばあちゃんと正子さんはめいめいのグラスをすばやく交換した。

あれ、と涼花はひそかに首をひねった。おばあちゃんがチョコで正子さんがフルーツと注文のときに聞いた気がする。覚え違いだろうか。

「いただきます」

涼花の混乱をよそに、おばあちゃんたちは声をそろえた。

涼花も自分のフォークを手にとった。なにから食べよう。お皿の上が盛りだくさんすぎて、目移りしてしまう。溶けてしまうから、まずはアイスからか。

「ああ、おいしい」

おばあちゃんたちは目を細め、再びグラスを交換した。それでようやく、涼花も事情が理解できた。

涼花も、また店員さんも、注文の品を勘違いしていたわけではなかったのだ。自分のパフェを食べはじめる前に、相手にひとくち味見させてあげるのも、ふたりの習慣なのだろう。いちいち言葉をかわしもしないのは、もはや暗黙《あんもく》の了解になっているからかもしれない。

涼花とミチルも、つい半年前まではそうだった。スイミングスクールのロビーで、アイスを分けあって食べていた。

「涼花ちゃんも、ひとくちいかが?」

視線を感じたのか、正子さんが涼花に向かって言った。

「いえ、いいです」

涼花はとっさに辞退した。フルーツパフェに入っている果物は、プリンアラモードとほとんど同じのようだ。なにより、仲よしのふたりの間に横から割って入るのは、なんとなく気がひける。

「おばあちゃんのも、食べてみない？」

「うん、いいよ。これ、けっこう量が多いし」

涼花が断ると、おばあちゃんもそれ以上はすすめなかった。

溶けかけたアイスをたっぷりすくって、口に入れる。つい、時計に目が吸い寄せられてしまう。

ミチルはもう泳ぎ終えただろうか。いいタイムを出せただろうか。


ミチルが選手コースに移ってまもない頃、涼花は競技会を見にいった。

会場は、運動公園の敷地内にある屋内プールだった。今日と同じで、涼花たちと同じスイミングスクールから、何人かの選手が出場していた。

試合は白熱していた。プールの外縁に設けられた雛壇《ひなだんじょう》状の観客席から、涼花は声《こえ》を嗄《か》らして声援を送った。ミチルは背泳ぎで三位に入賞したほか、平泳ぎでも自己ベストを更新していた。

試合の後、ミチルにひとことお祝いを言いたくて、涼花は出口のところで待っていた。しばらくすると、スクールのバッグをぶらさげた女子が五、六人、連れだって現れた。ミチルもいた。

ミチル、と涼花が呼びかけようとしたとき、向こうのほうで「おつかれさま」と快活な声が上がった。

涼花も前に一度会った、選手コースのコーチだった。大股でミチルたちのほうへ歩み寄っていく。一緒にいるおとなたちは、選手の保護者だろうか。

「ミチルちゃん、よくがんばったね」

コーチのよく通る声が、涼花の耳にも届いた。

「初出場で三位って、すごくない？」

「めっちゃ速かったよね」

子どもたちも興奮ぎみに言いたてた。みんなに囲まれ注目を浴びて、ミチルはもじもじしている。

「おつかれ」

「今日の女子、調子よかったよな？」

どやどやと出てきた男子の一群も加わって、ミチルを取り巻く人垣はいっそう大きくなった。おとなも子どもも輪になって、にぎやかに話したり笑ったり、やけに盛りあがっている。ひと勝負を終えた後の昂揚《こうよう》もあるのかもしれなかった。

彼らから少し離れて、涼花はしばらく突っ立っていた。プールの匂いがつんと鼻をついた。ふだんのレッスンのときは特に意識しないのに、自分が泳いでいないせいか、ばかにきつく感じられた。

このまま帰ろうかと考えはじめたとき、ミチルが涼花に気づいてくれた。小さく手を振られて、ほっとした。

涼花が手を振り返すと、ミチルの隣にいた女子に、不審《ふしん》げに一瞥《いちべつ》された。なにやらミチルに耳打ちしている。あれは誰、とでも聞いているのだろうか。値踏みするみたいに涼花をじろじろ見て、感じが悪い。

ミチルに駆け寄ろうとして、でも足がとまった。

あの子も含めて、ミチルを取り囲んでいるのは、厳しい練習をともに乗り越えてきた仲間たちなのだった。ただ観ていただけの涼花が、のこのこ割りこんでいっていいんだろうか。

と、コーチが生徒たちを見回した。

「よし、みんなで写真を撮ろう」

子どもたちがわらわらと動き、二列に並んだ。ミチルは前の列のほぼ真ん中に、女子ふたりに挟まれて立った。向かって右隣の子が、ミチルの腕に腕をからめた。左隣の子は肩に手を回している。

「笑って、笑って」

コーチの横で、保護者たちもカメラを構えている。

ミチルは戸惑うようにまばたきしてから、ひかえめな笑みを浮かべた。涼花は回れ右をして、そっとその場を離れた。

くぐもった振動音がどこからか聞こえてきたのは、デザートをたいらげた後、涼花は紅茶、おばあちゃんたちはコーヒーを飲んでいる最中だった。

「電話じゃない？」

涼花はおばあちゃんのひじをつついた。

「あら、ほんとだ」

おばあちゃんがハンドバッグからスマホを取り出した。急かすようなバイブの音が、一段と大きくなる。

液晶画面に表示されている発信元は、「家」だった。

「おじいちゃん？」

「どうぞ、出てあげてよ」

正子さんがすすめた。

「ごめんなさいね。それじゃ、ちょっとだけ失礼して」

おばあちゃんは言い置いて、急ぎ足で外へ出ていった。

なんの用事だろう。探しものかもしれない。おじいちゃんは、しょっちゅうものを失くすのだ。

そして毎回、「あれはどこに置いたんだったかな」とおばあちゃんにたずねる。おばあちゃんがすごいのは、おじいちゃんが「あれ」としか言っていないのに、なんのことか即座にぴんとくるところだ。「スマホならソファの上じゃない？」とか「老眼鏡？ ついさっき見たけど、どこだっけ」とかひとりごちつつ、たちどころに目あてのものを捜し出してみせる。一度、おばあちゃんが涼花のうちに来ているときにも、おじいちゃんから助けを求める電話がかかってきたことがあった。母さんは父さんを甘やかしすぎだよ、とパパはあきれていた。

入口のドアが閉まると、正子さんが涼花に話しかけてきた。

「ごめんね、おばあさんたちのお喋りに、長いことつきあわせちゃって。たいくつだったでしょう」

「そんなことない、です」

たいくつしていたわけではない。いろいろ気を散らしてしまって、むしろ頭の中は忙しかった。

「プリンアラモードも、おいしかったし」

なるべく明るい声で、言い足した。正子さんの目もとがほころんだ。

「あれは豪勢《ごうせい》だったね。おなかいっぱいじゃない？」

「はい、けっこう」

「涼花ちゃんは小柄なのに、食べっぷりがいいのね」

よく言われる。それだけ食べてたら背が伸びるよ、とパパとママはもっともらしく言うけれど、今のところそうでもない。

「それはシズエさんもか。特に甘いものは別腹よね。若い頃は、ここでパフェをおかわりしたこともあったのよ。この年齢《とし》になるとさすがに無理だけど」

二杯目のパフェも、正子さんと半分こしたんだろうか。涼花がぼんやり考えていると、正子さんに「大丈夫？」と遠慮がちに顔をのぞきこまれた。

「もしかして、今日はなにか他に用事があったんじゃない？」

涼花はぎくりとした。

「ないです」

何度も時計を見てしまっていたことに、気づかれていたのだろうか。たいくつしていると誤解されたのも、そのせいかもしれない。

「そう？　実はね、この前会ったとき、いっぺん涼花ちゃんに会ってみたいなってシズエさんに言っちゃったのよ。それで無理に連れてこられたんだったら、申し訳なかったなと思って」

「違います」

あわてて首を横に振る。どちらかといえば、涼花が無理に連れてきてもらったのだ。

「それならいいんだけど」

正子さんの表情がほぐれた。納得してくれたようだ。これ以上詳しく説明する必要はなさそうだったけれど、なぜか涼花は言葉を継いでしまった。

「友達が」

正子さんが笑みをひっこめた。涼花の目をまっすぐに見て、先をうながすように軽くうなずく。

「水泳の、選手で」

クロールで水をかくみたいに、涼花はひとことずつ続けた。

「今日も、大会に出てて。だけど、あたし、応援に……」

そこで、口ごもった。

なんて言いたかったのか、急にわからなくなってしまった。応援に、行かなくて？　行けなくて？

涼花の話を聞き終えた正子さんは、静かに言った。

「さみしいね、それは」

涼花はびっくりした。なんでわかるんだろう。さみしいなんて、ひとことも言わなかったのに。

今の気持ちを言い表すのに、それほどしっくりくる言葉はなかった。けれど同時に、口にすべきではない言葉でもあった。ミチル本人は言うまでもなく、家族や他の友達と話すときにも、涼花はそう口走ってしまわないように心がけていた。

すごい。

がんばれ。

おめでとう。

才能を認められ、日々努力を重ねているミチルに投げかけるべきなのは、そういった前向きなひとことだ。さみしいなんて、言っちゃいけない。前へ前へ、ぐんぐん泳いでいこうとしている友達の足を無神経にひっぱるようなまねはしたくなかった。涼花の個人的な感情をぶつけられても、ミチルだって困るだろう。

でも。

「さみしい、です」

口に出したら、体から少し力が抜けた。

「そんなこと言っちゃだめだし、ていうか思うのもだめだって、わかってるんだけど」

言い訳すると、正子さんは眉間《みけん》にしわを寄せた。

「思うのも、だめ？」

「だめ、じゃないですか？」

涼花はこわごわ問い返す。

「さみしいものは、さみしいじゃないの。涼花ちゃんがどう感じるかは、涼花ちゃんの自由だと思うけど。お友達に言うかどうかは別としてね」

正子さんがテーブル越しにずいと身を乗り出した。

「わたしもね、さみしかった。シズエさんがいなくなっちゃったとき」

内緒話をするみたいな小声で、涼花にささやいた。

「どうして辞めることにしたか、涼花ちゃんも聞いてる？」

「中途半端になるから、って」

来る途中、電車の中で聞いたままを、涼花は答えた。

「まじめだからね、シズエさんは」

仕事を辞めたいとおばあちゃんから相談された当初、正子さんは反対したという。

「もったいないと思ったの。シズエさんは教師に向いてた。子どもたちにも、ずいぶん慕《した》われてた」

正子さんは励《はげ》ましてくれた、とそういえばおばあちゃんも話していた。

「あきらめられなくて、説得しようとしちゃったのよね。あなたならできる、って。だけど今考えたら、かえってシズエさんを追い詰めてたかもしれない。シズエさんが真剣に考えて決めたことなんだから、応援してあげるべきだったのに」

それこそさみしそうに目をふせて、正子さんはぽつぽつと言葉を継ぐ。

「でもおばあちゃんは、ひきとめてもらえてうれしかった、って」

涼花はおずおずと言ってみた。正子さんが顔を上げて、シズエさんは優しいわね、とつぶやいた。

「まあ、おかげさまで、今もこうやっておつきあいが続いてる」

今の友達と五十年後もおつきあいが続くかも、とさっきおばあちゃんが言っていたのを思い出す。

「五十年もずっと友達って、すごい」

涼花が嘆息《たんそく》すると、正子さんはふふっと笑った。

「五十年間ずっと、こんなふうに会えてたわけじゃないけどね」

「え？」

「お互い違う道に進んだしね。ずいぶん長いこと、ご無沙汰《ぶさた》してた時期もあった」

でも不思議ね、と正子さんは涼花に微笑《ほほえ》みかけた。

「はじめてこの店を見つけて、ふたりでパフェを食べたとき、わたしもシズエさんも独身だった。もちろん子どももいなかった。なのに今、わたしはここで、涼花ちゃんとこんな話をしてる」

じっと見つめられて、涼花はこそばゆくなって目をそらした。ぼーん、とまた時計が鳴った。

「ああ、そうだ」

正子さんがごそごそとバッグを探って、小ぶりの紙袋を取り出した。

「これ、よかったら」

袋の中から小瓶《こびん》をふたつ出して、テーブルの上に並べる。どちらも、首にリボンが結んであった。片方が水色で、もう片方はピンクだ。

中身は、こんぺいとうだった。ピンク、水色、オレンジ色、淡いパステルカラーの小さな星が、ぎっしりと詰まっている。

「あなたと、そのお友達に」

正子さんはにっこりして言い足した。たぶん、おばあちゃんと涼花にひとつずつくれるつもりだったのだろう。もらっていいものかと涼花が迷っていると、正子さんは瓶をこっちに押しやった。

「遠慮しないで。シズエさんには、次会うときにまた買ってくるから」

「じゃあ、いただきます」

小瓶を手にとった涼花に、正子さんはたずねた。

「お友達に、渡せそう？」

「はい」

そのときに、次の試合はいつあるのか聞いてみよう。

「ありがとうございます」

涼花が正子さんに言ったとき、入口のドアが開いた。おばあちゃんが席に戻ってくる。

「ごめんね、お待たせしちゃって」

ソファに座り直して、涼花と正子さんを見比べる。

「どうしたの、ふたりとも。なんだか楽しそう」

「これ、もらっちゃった」

涼花は瓶を持った両手をかかげてみせた。おばあちゃんが目を細めた。

「あら、よかったわね。ちゃんとお礼は言った？」

涼花と正子さんは、同時にうなずいた。色とりどりの星が、小瓶の中できらきらと揺れた。


〈つづく〉

松《しょう》籟《らい》邸《てい》の隣人

第二十一回

宮本昌孝

Miyamoto Masataka

第十八話　野外撮影会余聞《よぶん》

茂《しげる》と広志《ひろし》と天人《あまと》は、故郷の下田《しもだ》に滞在中だという老齢の写真師・下岡蓮杖《しもおかれんじょう》を迎えるべく、大磯《おおいそ》から東海道鉄道、小田原《おだわら》馬車鉄道、豆相人車《ずそうじんしゃ》鉄道を乗り継いで熱海《あたみ》まで行ったところ、網代《あじろ》港で下田行きの東京湾汽船に乗る前に、めざすひとと偶然にも出会うことができた。蓮杖も、東京の門人から転送されてきた士子《ことこ》の撮影依頼の書状を読んで、大磯へ出向くところだったのだ。

四人が熱海の古屋《ふるや》旅館に一泊し、翌日、大磯の松籟邸《しょうらいてい》へ戻ってみると、折しも松本順《まつもとじゅん》が士子の往診に訪《おとず》れていた。

写真を趣味とする順が、学習院の正服《せいふく》姿なら、瀟洒《しょうしゃ》な五色《ごしき》の小石荘《こいしそう》を背景にすれば、より一層、映《は》えるのではないかと提案したことから、話は拡《ひろ》がって、このさい、茂が一緒に撮《と》りたい人々を招こうということになった。

士子も、茂だけの写真と、親しいひとたちとのそれと、参会者全員のものとを撮れたら、吉田家の末代までの記念になる、と賛成した。

ただ、九月も残り半月しかない。茂が東京で学習院通いを始める十月になる前に、大磯在住者はよいとしても、東京、横浜に住むひとたちを招いて、さらに皆の日時も合わせるとなると、時間がなさすぎる。

それに、ただ集まってもらうというわけにもいかない。わざわざのご足労をお願いするのだから、もてなしをするのが当然である。

「うちでガーデン・パーティを開きましょう」

と天人が申し出た。

かくして、「吉田茂君学習院入学記念祝賀会及び写真撮影会」の開催日を茂の上京日の前日と定め、ただちに動き出した。

それまで五色の小石荘に滞在することになった下岡蓮杖は、絵が描ける、と喜んだ。大磯の地を一目《ひとめ》で気に入ったのだ。

野分《のわき》の季節なので、何より案じられたのは当日の天候である。風雨に見舞われれば、写真撮影以前に、招待客が五色の小石荘まで来ることもできまい。

不安は的中し、薄曇《うすぐも》りの日が続き、会の前日には本曇《ほん》りになってしまった。

「こんなときは、てるてる坊主《ぼうず》よ」

厚い雲を仰《あお》ぎ見ながら楽しそうに言ったのは、シンプソン家の家令《かれい》マイクの孫娘ローダである。大磯でたくさんの友達ができたローダは、日本の子供の遊びや伝承にすっかり馴染《なじ》んでいる。

雨は、宵《よい》の頃から降り出し、風も強く、深夜には本降りとなったものの、未明に上がった。相模《さがみ》の海も穏《おだ》やかな秋晴れの朝を迎えることができたのだ。

「サンキュー、ブディスト」

ローダは、願いが叶《かな》ったので、五色の小石荘一階の軒下《のきした》に吊《つ》るしておいたてるてる坊主を取り外《はず》すと、まだ湿《しめ》っているその顔に墨《すみ》で眼睛《ひとみ》を描き入れた。

坊主を、キリスト教の僧ではなく、仏教僧を意味するｂｕｄｄｈｉｓｔと英訳したローダに、茂は感心してしまう。

早朝、五色の小石荘へ真っ先にやってきたのは、南下町《みなみしたまち》の漁師で、照ケ崎《てるがさき》海水浴場のジイヤでもあるスミジイだ。茂本人から招待されて、自分のような者がと恐縮したスミジイだが、人力車夫のどんじりも同席するというので、一張羅《いっちょうら》での出席となった。散髪《さんぱつ》もしてきたようだ。

ガーデン・パーティは午前十一時からの開始だが、スミジイの早朝入りには理由がある。永年の大磯の漁師経験から当日の一日の天気をみてほしい、と茂が頼んだのだ。

「若《わか》。天気の良《よ》し悪《あ》しは、写真の屋外撮影とパーティの両方に大きく関《かか》わる。なんの心配も要《い》りませんぜ。きょうはずっとお天道様《てんとうさま》が笑ってくれて、日暮れまでは風も弱いはずだ」

「ありがとう、スミジイ」

茂は、礼を言ってから、

「ということだよ、マイク」

と振り返った。

「助かりました」

前回までのあらすじ

吉田茂《しげる》は父・健三《けんぞう》が亡くなったため、若くして吉田家の当主になる。藤沢の耕餘塾《こうよじゆく》を卒業した茂は、東京に住む実父・竹内綱《つな》の屋敷に住み、学生生活を送っていた。夏休みになり、茂は母のいる大磯に戻り、外相・陸奥宗光《むつむねみつ》の許《もと》を訪ね、隣人で友人の天人《あまと》と陸奥宗光夫人・亮子《りょうこ》の馴れ初めを聞く。明治三十年（一八九七）、陸奥が逝って、茂は衝撃を受ける。学習院に進学することになった茂の正服姿を撮影したいという母・士子《ことこ》の意見により、茂は写真家・下岡蓮杖《しもおかれんじょう》を下田まで迎えにいくことになる。

シンプソン家を取り仕切る家令として、曇天《どんてん》や強風が予想されるなら、パーティの支度《したく》を、庭でなく屋内で始めるつもりのマイクだったのである。

「わしの見立ても、あんたと同じじゃ」

蓮杖も空を眺《なが》めながら、スミジイに笑いかけた。

東京の門人たちに命じて、大きさの異なるカメラを何台も運ばせた蓮杖にすれば、屋内外どこでも撮影可能な風の弱い晴天はまことにありがたい。

そこへ、緊張の面持《おもも》ちで参じたのがどんじりである。

「若。本当にあっしなんぞが末席に加わってよろしいんで」

「上席も末席もない。無礼講《ぶれいこう》だよ」

マイクの指示により、ガーデン・パーティの準備を始めるべく、マイク一家に、松籟邸の北条《ほうじょう》、好助《よしすけ》、女中、看護婦らと、広志の両親までが玄関ホールに集まった。スミジイとどんじりも手伝いを申し出た。

茂の見知らぬ男がひとり、五色の小石荘へやってきたのは、このときである。

「やあ、松尾《まつお》さん。ありがとう」

マイクの息子でシンプソン家の料理人であるジャックが、笑顔を向けた。

「こちらが本日の主役、吉田茂さまです」

松尾と呼んだ男へ、ジャックは茂を紹介する。

「お初にお目にかかります。松尾千代吉《ちよきち》と申します」

「松尾さんは滄浪閣《そうろうかく》の料理長です」

茂の驚くまいことか。伊藤博文《いとうひろぶみ》の大磯の住まいが、滄浪閣である。つまりは、伊藤の日々の食事を作っているひとだ。

「ジャックはどこで知り合ったの」

「どこでと仰《おお》せられても、ご近所ですから」

滄浪閣と五色の小石荘とは、二号国道で一・二キロメートルほどの距離か。広大なアメリカでの暮らしが長かったジャックにすれば、それこそお隣《となり》ぐらいの感覚なのだろう。

「きょうは料理の数が多いので、手伝いをお願いしたのです」

「いやいや、押しかけです。ジャックさんの西洋料理の法をどうしても学びたくて」

料理人同士、すでに幾度《いくたび》か交流のあるふたりだった。

「会のお支度をされる皆様に」

松尾が、竹皮の包みを差し出し、披《ひら》いてみせる。

「なんと見目《みめ》のよい……」

真っ先に嘆声《たんせい》を洩《も》らしたのは北条だ。

まだ切り分けられていない大きな玉子焼きである。色合いが見事で、焼き立てなのだろう、香りも佳《よ》い。

「これが伊藤卿《きょう》のいちばんの好物という、松尾さんの玉子焼きですね」

とジャックが言った。

「公《こう》は大根おろしをのせて召し上がるのがお好きです」

伊藤は侯爵《こうしゃく》なので、松尾の言う「公」とは、公爵のことではなく、総理大臣をつとめた主人への尊称である。

「畏《おそ》れ多いことにござる。身共《みども》ら下々《しもじも》が食すわけにはまいらぬ」
二、三歩退《さ》がった北条だが、視線は玉子焼きに釘付《くぎづ》けだ。
「わたしは食したいが、同じ立場の北条どのが遠慮《えんりょ》されるのなら、諦《あきら》めましょう」

残念そうに言ったのはマイクである。仕《つか》える家は違えど、役儀はほぼ変わらないことを、マイクと北条は認め合っている。同じ立場《ちょうだい》とはそういう意味だ。

「では、マイクどのの相伴《しょうばん》ということで、身共も頂戴いたす」

北条は、存外、あっさりと折れた。それだけ、いまではマイクと懇意《こんい》にしている。

厨房《ちゅうぼう》へ入って、松尾が切り分けた玉子焼きに皆で舌鼓《したつづみ》を打ち、会の準備は楽しく始められた。

明け方に東京のそれぞれの住まいを出て、共に新橋《しんばし》から陸蒸気《おかじようき》に乗ってきたという二人連れの招待客が、午前八時半頃、五色の小石荘に到着した。

「なんじゃ、いつもの恰好《かつこう》ではないか」

庭で出迎えた茂の筒袖《つつそで》、短袴《たんこ》姿に、拍子《ひようし》抜けしたのは榊原志果羽《さかきばらしらは》である。

「学習院の正服には、写真を撮るさいに着替えます」

「もったいぶるわ」

「それより、志果羽さん……」

茂には志果羽の装《よそお》いが驚きだった。

絽《ろ》の二枚重ねで、上を紫《むらさき》、下を薄紫にし、裾模様《すそもよう》は水の流れ、帯は小萩《こはぎ》模様と、初秋らしさが品よく際立《きわだ》つ。髪形は、中央で左右に分け、三つ編みのお下げを後頭部で巻いてヘアピンで留《と》めており、流行《はや》りの「英吉利《イギリス》巻き」である。

「鬼《おに》に衣《ころも》だ」

小声だが、しぜんと茂の口をついて出た感想だった。

鬼というのは、本来は裸《はだか》だから、衣類など必要としない。不必要なこと、不釣《つ》り合いなこと、あるいは表面はしおらしく見えても内面は恐ろしいことの譬《たと》えである。

「茂っ。おのれは……」

志果羽のおもてが、本当に鬼の形相《ぎょうそう》に変じた。

（殺される）

たじろいだ茂だが、

「やあ、志果羽さん」

と天人が寄ってきたので、命拾いする。

「ご武芸ばかりではないのですね、志果羽さんが男を打ち負かす術《すべ》は」

天人は自身の胸を押さえてみせた。

「な……なんのことか」

意味を解《かい》しかねて、志果羽は同行者を見やる。

「お嬢《じょう》が別嬪《べっぴん》すぎて、降参だってさ」

西洋人みたいな気障《きざ》なことばと仕種《しぐさ》が腐《くさ》すことも憚《はばか》られるほど似合う天人だけに、些《いささ》か顰《しか》め面《つら》の探偵・岩井三郎《いわいさぶろう》だ。

「ばかっ」

たちまち顔を真っ赤にした志果羽が、なぜか両手で岩井の胸を押しやった。元警視庁の敏腕《びんわん》刑事は芝生《しばふ》へひっくり返る。

志果羽と岩井のあとは、大磯の別荘組と称《よ》ぶべき人々が次々とやってきた。

まずは上郎幸八《こうろうこうはち》夫妻である。幸八は茂の後見人、その妻は士子の姉だ。

「茂くん。明日は、わしも共に東京へ往《ゆ》こう。使用人たちを引き合わせねばならぬからな」

「何から何までありがとうございます」

茂の東京における新邸が広尾《ひろお》に竣工《しゅんこう》したばかりだが、すべては幸八が段取りをつけた。新邸で働く使用人たちも、身元の確かな者らを幸八が選んだのだ。

「竹内《たけうち》どのへのご挨拶《あいさつ》もせねばならぬゆえ」

茂は飯倉片町《いいくらかたまち》の竹内綱《つな》屋敷を出ることになる。むろん、本日は綱もなんとか都合をつけたいと望んでくれたが、多忙をきわめる身なので、昨日、使いの者が欠席を告げに来た。竹内家の人々とはあらためて東京で写真を撮るつもりの茂だった。

綱のほかには、尾上菊五郎《おのえきくごろう》も舞台を休むわけにはいかないため、大磯には来られない。

ほどなく、中島信行男爵《なかじまのぶゆきだんしやく》が姿を見せたので、茂も士子も驚いた。肺病《はいびよう》持ちの中島の出席は難しいと思っていたからだ。

中島には松本順が付き添っていた。

「おめでとう、茂くん。士子さんも」

中島が茂に握手を求めた。

「ありがとう存じます。お加減はよろしいのですか」

士子が礼を陳《の》べてから、気遣《きづか》った。

「このところ気分がよいのでな」

中島は、昨年十一月に土地を購入してから、別荘建築はまだ途中なのだが、それでも、その進捗《しんちょく》状況を幾度も見にきている。今回も、昨日のうちに大磯に来て、同じ土佐《とさ》出身で農商務・内務《ないむ》・司法・文部《もんぶ》などの大臣を歴任した河野敏鎌《こうのとがま》の茶屋町《ちゃやまち》の別荘に泊まったという。敏鎌自身はすでに死去したものの、別荘は中島もよく知る息子の河野寿男《としお》に引き継がれている。

「俊子《としこ》も来たがっていたが、少し熱が出たゆえ」

「そのようなときに、茂のために……」

亡夫健三《けんぞう》と中島が昵懇《じっこん》だったので、その妻の俊子とも面識《めんしき》のある士子は恐縮した。

中島の最初の妻は、陸奥宗光《むつむねみつ》の妹・初穂《はつほ》である。が、早くに死別してしまい、岸田《きしだ》俊子を後妻に迎えた。

京都の呉服商《ごふくしょう》の家に生まれた俊子は、十代で宮中に出仕《しゅっし》し、皇后に進講するほどの秀才だったが、わずか二年で退官するや、自身の進歩的な思想から中島らの自由民権運動に共感して、各地で女権伸張の遊説《ゆうぜい》を行い、投獄《とうごく》まで経験した。中島との結婚も、当時としてはめずらしい恋愛による自由婚だった。出獄後も、女性の地位向上を評論や小説などで訴えつづけており、いわば日本の女性解放運動の先覚者で、「湘烟《しょうえん》」の号で知られている。

「わしが健三さんに強く奨《すす》めて耕餘塾《こうよじゅく》に転校させた茂くんだ。学習院入りはわしも鼻が高い。初の正服姿を見逃《みのが》すことはできぬ」

「おふたりともお大事になさって下さいまし」

中島と俊子は、一時、イタリア公使夫妻として現地に赴任《ふにん》するも、両人とも重病のため帰国を余儀なくされてからは、療養生活が主《しゅ》になり、ほとんど表舞台に登場していない。

「来年、頃合《ころあ》いをみて、夫婦で大磯へ転居しようと思うておるので、吉田家を度々《たびたび》頼ることになるやもしれぬ。その節はよろしくお願い申す」

中島が別荘建設に時間をかけているのは、愛妻の俊子にとってより快適な住まいをめざしているからである。

「何なりとお申しつけ下さいまし」

「そうなれば、わしも中島さんと湘烟さんを近くで診《み》られる」

士子が請《う》け合い、順も喜んだ。

この数分後には、後藤猛太郎《ごとうたけたろう》が岩崎美和《いわさきみわ》の手を引きながらやってきた。ふたりは姻戚《いんせき》である。美和の息子の岩崎弥之助《やのすけ》の妻・早苗《さなえ》が猛太郎の妹なのだ。

「吉田くん。招《よ》んだんだ、ならず者」

庭に西洋卓子《テーブル》や椅子《いす》を並べていた広志が、門の近くで士子と中島と話している猛太郎を目に留めるや、そちらへ背を向けた。

「ぼくが招ぶ前に、きょうのことを聞きつけたみたいで、二扇庵《にせんあん》の桑原《くわばら》さんから事前通達があったんだ。猛太郎さんは下岡蓮杖と写真に興味があるから行ってやるって」

亡き後藤象二郎《しょうじろう》の別荘・二扇庵を管理する後藤家の使用人が桑原である。

「もしかして、吉田くん。最初から招ぶつもりだったのか」

「そうだよ。耕餘塾の先輩だからね」

「もっとまともな先輩、招べよ」

「まともだよ、あのひと」

茂は、小走りに猛太郎へ駆け寄ってゆく。同行者が何かと世話になっている岩崎美和でもあるから、礼を尽くさねばならない。広志も仕方なくつづく。

「おう、小僧《こぞう》ども」

猛太郎は、両手を伸ばし、茂と広志の顎《あご》を摑《つか》んで揺さぶった。

「わえは何しゆうがぁ」

と美和が、猛太郎の両手の甲を、ぺんぺんと叩《たた》いた。

「茂さんらはちんまいガキじゃないき。こたかすぞ」

叩くぞと美和は言ったのだが、すでに叩いている。

「怖《こわ》いのう、ばんばは」

ばんばとは、婆さんの意である。幼少期から横浜、東京暮らしの永《なが》い猛太郎だが、たまに土佐弁が出る。

「あのぢんまか」

長い杖を持って一階のポーチの広縁《ひろえん》に立っている老人を、猛太郎が見つける。ぢんまは爺《じい》さんのことだ。

「下岡蓮杖さんです」

と茂が頷《うなず》く。

「写真師だから、当然、活動写真にも詳《くわ》しいよな」

猛太郎がそう言ったので、茂は、なるほどと腑《ふ》に落ちた。

(興味があるのは、そっちの写真なんだ)

昨年十一月、エジソンが発明したキネトスコープというものが初めて輸入され、これを御覧《ごらん》になった小松宮彰仁親王《こまつのみやあきひと》が「殊《こと》の外御意《ほかぎょい》に入り」、それから月末までに神戸、大阪、東京、函館《はこだて》などで一般公開されるや、大評判をよび、「画中の人物みな活動し千態万様《せんたいばんよう》の変化を極《きわ》むること、宛然《さながら》実物を目睹《もくと》するがごとし」と新聞でも大きく取り上げられた。動く写真、つまり活動写真である。自分の肉眼で見ることを目睹という。

この明治三十年に入ってからも、リュミエール兄弟のシネマトグラフ、エジソンのヴァイタスコープが相次いで輸入、公開され、三月にはついに、東京は神田《かんだ》の錦輝館《きんきかん》で、輸入フィルムに彩色《さいしょく》を施《ほどこ》す着色映画まで上映するに到っている。

「活動写真っていうのはな、必ずでかい商売になるぞ」

猛太郎には山師《やまし》的なところが大いにあるのだ。いまも品川馬車鉄道株式会社の設立に向けて動いている、と茂は伝え聞いていた。

「でも、猛太郎さん。ぼくは、蓮杖さんは活動写真には疎《うと》いような気がします」

「なぜだ。上野彦馬《うえのひこま》と並び称されるほどの写真屋じゃないのか」

「あれが何かご存じでしょうか」

庭に運び出された卓子や椅子に近いところで、蓮杖の門人たちがテントを張り終えようとしている。

「あの中で飯《めし》でも作るのか」

と猛太郎は訝《いぶか》る。

「暗室《あんしつ》テントです。お弟子《でし》さんらは乾板《かんぱん》写真ですが、蓮杖さんご自身は湿板《しっぱん》写真しか撮らないので」

「嘘《うそ》だろ、いまどき湿板なんぞ……」

無色透明のガラス板にコロジオン溶液というものを塗《ぬ》って薄い膜《まく》を作ってから、硝酸銀《しょうさんぎん》溶液に浸《つ》けて膜《まく》に感光性を持たせ、遮光《しゃこう》用のホルダーにセットする。ここまですべてを暗室で行ってから、ようやく撮影場所でそのガラス・ホルダーをカメラにセットするのだが、膜が湿っている間に撮影まで済ませなければならない。乾《かわ》いてしまうと役に立たないので、湿板写真なのだ。撮影後もただちに、暗室で現像液をかけ、表出されたネガ画像が良好なら、ガラス板を定着液に浸《ひた》して、ポジ画像へと変化させる。

このため、常に暗室が必要なので、屋外撮影のさいには、その近くに暗室テントを張ったり、助手が大きな暗室箱を背負って随行《ずいこう》したり、暗室を据《す》えた馬車に乗っていくなどが当たり前だった。何かと煩瑣《はんさ》で時間も費用もかかるのだ。

それが、明治十年代の半ば、乾板写真という新技術の輸入により、状況は一変する。ガラス乾板は、それだけを持ち歩けばよくて、暗室を携行《けいこう》する必要もそれに伴《ともな》う専門的な技能も必要ない。感光性も湿板よりはるかに優《すぐ》れる。また、知識や材料も毎年のように更新《こうしん》、輸入され、カメラの軽便化と相俟《あいま》って、職業写真師でなくとも手軽に撮れる新時代に突入したのだ。結果、湿板写真は急激に廃《すた》れてしまった。

「まあ、そういう忘れられた遺物みたいなぢんまも面白い。話を聞く価値はあるだろう」

切り換えの早い猛太郎は、満面の笑《え》みを湛《たた》えて蓮杖のほうへ歩きだした。

のちに明治から大正へ改元される直前に「日本活動寫眞《しゃしん》株式会社」を設立し、みずから初代社長の座につくのが後藤猛太郎である。同社は、昭和には石原裕次郎《いしはらゆうじろう》という大スターを生む映画会社「日活《にっかつ》」へと発展する。

午前十時半過ぎに、思いがけない二人連れが現われた。

一方は、茂が招んだ松風軒誠雅《しょうふうけんせいが》。本名を山田吉亮《やまだよしふさ》といい、将軍家御様御用《おためしごよう》をつとめた九代目・首斬り浅右衛門《あさえもん》である。茂が日本中学校へ通い始めるさいに知り合ってから、東京での交流はつづいているのだ。

「シゲ坊。どうでえ」

松風軒は、両腕を横へ伸ばして紋服《もんぷく》を見せつけた。山田家の柊《ひいらぎ》紋が打たれている。

「マッちゃん。お似合いです」

茂と松風軒は、シゲ坊、マッちゃんと呼び合う仲でもある。

「それより、マッちゃん。どうして……」

松風軒の同行者は、そのあまりの美しさに誰もが声を失い、立ち尽くして見とれてしまった洋装の陸奥亮子《りようこ》である。亡夫・宗光の大阪での埋葬《まいそう》が済むまでは、陸奥家への弔問《ちようもん》も控えようと思い決めた茂は、この会のことは亮子に知らせてもいない。

「一昨日《おととい》のことだ」

と松風軒が言った。

「前にシゲ坊から陸奥さまとの関わりを聞いていたからよ。畏れ多いことだが、奥方さまからお祝いのお言葉を頂戴して、お前《めえ》さんに伝えてやろうと思い立ってな、西ケ原《にしがはら》のお屋敷を訪ねたんだ」

松風軒は、陸奥家とはいちど刀剣の鑑定をしただけの関係だったのが、国粋《こくすい》主義者たちの暗殺剣から宗光の命を救ったあとは、懇意となった。

「そしたら、奥方さまが直々《じきじき》に祝いたいと仰《おつしや》って、下賤《げせん》のおれなんぞにお供《とも》を命じて下さり、きょう、陸蒸気に同乗させていただいた次第さ」

亮子を振り返ってから、恭《うやうや》しく首《こうべ》を垂《た》れながら身を脇へ避《よ》けた松風軒である。

茂と亮子が対面の形になった。

「陸奥卿《きよう》のご逝去《せいきよ》、遅ればせながら、謹《つつし》んでお悔《く》やみ申し上げます。また、本日は、夫人におかせられてはわざわざのお運び、なんと御礼申し上げればよいか、まことに恐悦至極《きようえつしごく》に存じます」

「まあ、茂くんたら、随分と堅苦《かたくる》しいご挨拶をなさるのね。それに、お招《まね》きいただけなかったのも無念なことでしたわ。わたくしたち、友人ではなかったのかしら」

「あ……いえ……その……」

しどろもどろの茂である。

「いじめるのは、これでお終《しま》い」

亮子はちょっと肩を竦《すく》めてみせた。

「あなたのお心遣いは察しています。ありがとう、茂くん」

以前と変わらぬ亮子の、美しくも、どこか人懐《ひとなつ》っこい笑顔に、茂は蕩《とろ》けそうになりながら、同時に胸に迫るものがあった。

(なんて気丈《きじょう》な方《かた》なのだろう、最愛のひとを失われたばかりなのに)

すると、随従《ずいじゅう》の女中を促《うなが》して、何やら手渡されたものを、亮子は茂へ差し出した。

「学習院へのご編入、おめでとう」

紺《こん》の羅紗《らしゃ》布で被《おお》われた二十センチぐらいの細長い木箱だ。

茂は、受け取り、開《あ》けてみた。

現われたのは、万年筆である。

英語で「fountain pen」。インクが泉のごとく湧き出てくることから付けられた名称だ。日本語では、末永く使えるという意で万年筆と意訳されたが、この当時の読み方は「まんねんひつ」より「まんねんふで」が一般的だった。

「パーカーですね」

と言ったのは、いつまにか茂のそばに寄っていた天人である。

梃《てこ》を用いる「自動インク吸い取り」を創《つく》ったジョージ・パーカーは、アメリカのウィスコンシン州ジェーンズ・ヴィルに万年筆の製造会社「パーカー」を設立すると、一八九四年には、ペンの直立時に毛細管《もうさいかん》現象を利用してインクをインクタンクの中へ流し込むラッキー・カーブ・インク供給システムを開発し、さらに世界中に知れ渡った。ただ、まだまだ高価な文具である。

「陸奥から茂くんへの贈物です」

「えっ……」

「茂くんの学習院編入が決まったと知ったとき、折をみて渡してほしい、と陸奥がわたくしに託したのです」

「もしや陸奥卿ご自身がお使いになられたものですか」

「亡くなる直前まで愛用していました」

「ならば、大事なお形見《かたみ》ではありませんか。ぼくにはこの上なき栄誉《えいよ》ですが、頂戴するわけにはまいりません」

「おう、シゲ坊。大臣《でえじん》の御遺志《ごいし》を無下《むげ》にするもんじゃねえ」

口を挟《はさ》んだ松風軒の言う大臣とは、宗光をさす。この男にとって、心から敬《うやま》うことのできる大臣は亡き陸奥宗光だけなのだ。

「世界を相手に話し合いで勝負するっていうのが、シゲ坊の望みだろ」

日清《にっしん》戦争の開戦直後に茂と松風軒は出会っている。そのとき茂は、日本が敗戦国になったとしても、得るべき権利は主張して、一歩も引き下がらない、そういう交渉のできる人間になりたいと言った。その思いに、松風軒は、大《てえ》したもんだ、と感服したのだ。

「外交で日本を勝利に導いた陸奥大臣のあとを継ぐくらいの気概《きがい》がなくてどうする。その万年筆はシゲ坊のいちばんのお守りになるって、おれは思うぜ」

「茂。わたしも松風軒さんに賛成です」

「お前さんだろ、天人っていうのは」

松風軒が長身の相手をちょっと仰ぎ見る。

「シゲ坊からよく聞いてるから、初めて会った気がしねえ」

「わたしもです」

「ネェース・トゥ・ミーチューだ」

松風軒は右手を差し出す。「ｎｉｃｅ　ｔｏ　ｍｅｅｔ　ｙｏｕ」と言ったのだ。

「お上手《じょうず》です、マッちゃん」

天人も相手の英語を褒《ほ》めて、握手に応じた。

「夫人。ありがとうございます」

両手で万年筆の木箱を押し戴《いただ》きながら、茂は亮子に深々と頭を下げる。

「ありがたく頂戴し、ぼくの生涯の宝物にします」

「宝物なんかにしてはいけません。日常の学業で存分にお使いになって。そのほうが陸奥も贈りがいがあったと喜ぶでしょう」

「はい。では、お言葉に甘えて、必ずそうさせていただきます」

茂が感動で声を震《ふる》わせ、士子は神仏を拝するごとく亮子に向かって掌《て》を合わせた。

亮子は天人と微笑《ほほえ》み合う。

ぱちぱち、と音が鳴った。音の主《ぬし》を皆が見やると、ローダである。

屈託《くったく》ない笑みを振りまく少女に、会に参集したすべての者が倣《なら》った。五色の小石荘の庭は一挙に華《はな》やいだ。

「皆様よ、いまこそ写真日和《びより》じゃ」

蓮杖が声を張った。老齢とは思われぬ、高らかによく響《ひび》く一声である。

「皆さんにはゆっくりガーデン・パーティを愉《たの》しんでもらいたいので、まずは参会ご一同の一葉《いちよう》を撮って下さい」

と茂が蓮杖に言った。

「最初からそのつもりじゃよ」

蓮杖は、門人が三人掛かりで据えている大きなカメラのほうへ腕を差し伸べる。

写真の引き伸ばしの技術はまだ開発されていないので、被写体を大画面に収めたければ、大きなガラス板と、それに合わせた寸法のカメラが必要なのだ。

この数年後には、フレームが百三十センチ×二百四十センチ、重さ六百キロ以上という超巨大カメラがアメリカで製作されるが、設置と操作に十五人掛かりだったという。

蓮杖が皆へ、玄関前に並ぶよう指示を始めた。そこにはすでに、門人たちの手によって長椅子《ながいす》と上下段の雛壇《ひなだん》が設《しつら》えられている。

「着替えてきます」

茂は、ローダと一緒に、玄関から屋内へ入った。ローダは、厨房で料理の支度をしているジャックらを呼びにいくのだ。

「ここが真ん中になるゆえ、茂くん」

雛壇の前の芝生に置かれた長椅子の中央を、蓮杖は杖で示した。

「ほかはご自由に並んでいただいてよろしい。お身内との写真はあとで撮り申すゆえな」
「そんなら、ははいい花園で茂さんを囲んじゃる」
言い出したのは、最年長者の岩崎美和である。ははいいとは、まぶしいという意
だ。
ほどなく、茂が学習院の夏の正服姿で登場した。
山桜花《やまざくらばな》の徽章《きしょう》の誇らしい学帽《がくぼう》に、白の開襟《かいきん》シャツ、白のズボンは、それこそは
ばいい輝きを放っている。
参会者一同の大きな拍手《はくしゅ》をもって迎えられ、さすがに茂も照れた。
カメラと参会者たちの間へ回り込んだ茂の手をとったのは、母の士子である。
「茂さん。これへ」
導かれるまま茂が長椅子の中央に腰掛けるや、参会者たちが素早く、それぞれの
位置についた。
「な……なんですか」
思ってもいなかった皆の並び方に、茂は左右と後ろを幾度もきょろきょろと見渡
してしまう。
自身の左になぜか美和、右にはなんと亮子ではないか。長椅子には、ほかに士子
とその姉も居流《いなが》れた。

長椅子の後ろに立ったのが、志果羽、広志の母、ジェーン、ケイシー、土子付きの看護婦二人に、松籟邸の女中二人。

茂は十二人の女たちに囲まれたのだ。

雛壇が男たちだ。

下段に、順、中島を中央にして、右に幸八、猛太郎、岩井、左に松風軒、広志とその父。

上段は、天人を中心に、右に北条、ジャック、松尾、スミジイ、左はマイク、好助、サイラス、どんじりである。総勢三十名という全体の中で、ひときわ長身の天人は、真ん中でもあるので、さながら大棟《おおむね》の獅子口《ししぐち》のようだ。

「女の園《その》はこじゃんとえいろうが」

美和が、しなを作って、茂の腿《もも》に手を置いた。土佐弁は、とても心地よいだろう、ぐらいの意である。

わけの分からない茂が、何やら怖そうに、おもを引き攣《つ》らせて立ち上がり、その顔つきのまま振り返ったので、皆はどっと笑う。

茂は、皆を睨《にら》みつけた。からかわれた、とようやく察したものの、怒る気になれない。どころか、おかしくなって、吹き出してしまった。

「さてさて、てんごのかあはここまでじゃ」

蓮杖が杖を振りながら言った。

「お前《ま》さん、土佐弁を知っちゅうがか」

美和がちょっと驚く。てんごのかあは、悪ふざけの意である。

「少々じゃ」

と蓮杖はこたえた。

「昔、土佐の衆もよく撮りましたのでな。岩崎弥太郎《やたろう》どのも」

三菱《みつびし》の創業者で、美和のいまは亡き息子である。

この間に、ローダが駆け込んできて、茂の足許の芝生にちょこんと座った。胸にポチを抱いている。

それを見て、誰もが微笑んだ。

「では、皆様。いちど、ポーズを取ってみましょうぞ」

「なんじゃ、ぽうずとは」

訊《たず》ねたのは志果羽である。湿板、乾板を問わず、写真を撮られるなど初めてのことなので、何も知らないのだ。ほかにも、幾人もが戸惑っている。

「お嬢。撮ってほしい姿のことだ」

後ろから、岩井が応じた。

「それなら刀《かたな》を構えたい」

「吉田くんより目立っちゃだめだよ」

　これも後ろから、広志である。

「なぜじゃ」

「茂さまが主役にあられます」

　志果羽の横に立つジェーンがやんわりと諭《さと》す。

「カメラを見ると魂《たましい》を吸い取られるなぞと申す者がおるが、それは迷信、妄言《もうげん》にすぎぬ。それゆえ、カメラのほうを見ても大事ござらぬ。されば、わしの掛け声でまいりますぞ」

　蓮杖が高々と杖を上げた。

「はっけよぉい、ポーズ」

　茂を初め、ほとんどの者が生真面目《きまじめ》な表情を作った。不機嫌《ふきげん》そうな顔もある。カメラから視線を外して、そっぽを向いた者も多い。ひとり志果羽だけが、腕を組んで、蓮杖を睨みつけている。

　そういう中で、天人とローダは異質だ。両人とも、穏やかな自然体である。

「よろしい」

　蓮杖は大きく頷いた。

　本当はよろしくないのだが、ポーズを変えさせようとすると、誰もがたちまち緊張して、なかなか決まらず、揚《あ》げ句《く》は失敗することが多いのだ。とくに湿板写真は、限られた時間の中で撮影を終えねばならないので、ポーズ変更の余裕などない。

「皆様。ここを御覧《ごらん》下され」

カメラのレンズを蓮杖が指さす。まだ蓋《ふた》は閉じられている。

「わしがこの蓋を開けたら、露光《ろこう》と申してな、中に光が入って、湿板の感光材に当たり、撮影が行われる。その間、皆様は決して動いてはなりませぬぞ。動けば、まともに写らず、新たに湿板を作って、やり直しをせねばならぬ。わしが蓋を閉じたら、撮影は終わりじゃ」

「どのくらい動かずにいればよいのか」

志果羽が訊《き》いた。

「おおむね三十秒」

と蓮杖はこたえる。

「なんじゃ、そんなものでよいのか」

武芸において、重い剣を構えたまま、明鏡《めいきょう》止水《しすい》の境地で凝然《ぎょうぜん》と佇《たたず》むという稽古《けいこ》もする志果羽なのだ。

「あっしは、凝《じ》っとしたまま三十数えるなんて、とてもできねえ」

るつもりなのだ。


「おれもだ」

雛壇の上段の両端で、同時に頭《かぶり》を振ったのは、どんじりとスミジイである。ふたりとも、三十秒がどれくらいなのかよく分からないので、自身の感覚で三十を数えるつもりなのだ。

「撮るぞ」

蓮杖が暗室テントのほうへ声をかけると、中から門人らが二人掛かりでガラス・ホルダーを抱《かか》えて出てきた。溶液で作り、感光性を持たせた薄膜《うすまく》に被われたガラス板が、内蔵されている。

これをカメラに取り付けるや、間《ま》を置かず、蓮杖は宣した。

「まいりますぞ」

ガラス板が湿っているうちに撮影しなければならないのだ。

「ポチ。動かないでね」

ローダがポチに囁《ささや》く。

「はっけよぉい、ポーズ」

蓮杖がレンズの蓋を外す瞬間、大半の者が息を停《と》めた。

時が動く。五秒……十秒……十五秒……。被写体の人々にとっては、長く感じられる。

だが、人間の喧騒《けんそう》が失《う》せた世界で、いままで聞こえていなかった松籟と潮騒《しおさい》が届き、心地よくもある。

あと何秒だったろう、奇妙な音が湧《わ》いた。

何であるのか、誰にでも分かる。笑いを怺《こら》えねばならない。

蓋が閉じられる前に、最初に笑いだしたのは、思いもよらないひとだった。

亮子である。

撮影失敗だ。その途端、誰かが言った。

「出物腫物《でものはれもの》、所嫌《ところきら》わず」

一挙に皆の笑いが弾《はじ》ける。

ローダが立って、振り返り、ポチを両手に掲《かか》げた。

「犯人、じゃなくて、犯犬」

すまなさそうに、ポチが鳴いた。

それでまた、笑いが大きくなり、もはや止まらなくなってしまう。茂は腹を抱え、広志などは芝生を転《ころ》がり回った。

「ごめんなさい。どうしても我慢できなくて」

笑いながら涙を流して謝《あやま》る亮子だが、どうみても愉快そうだ。茂も嬉《うれ》しくなった。

血洗川《ちあらいがわ》の小道《こみち》から、屋敷地内の敷石路《しきいしみち》へ、徳川晨子《とくがわあきこ》とその一行が姿をみせたのは、この折である。

「招んだの、あのひと」

茂は天人を振り返った。

「尾州《びしゅう》さまのご令嬢じゃ。この会のことをお知りになるなど、造作《ぞうさ》もあるまい」

と察したのは順である。

茂は、晨子を招待する気は端《はな》からなかった。侍女《じじょ》と護衛者《ごえいしゃ》を多数引き連れ、特別扱いされるのを当然とするばかりか、漁師《りょうし》や人力車夫や女中らなどと同席の無礼講も、決して受けつけないと知れているからだ。

ただ、そういう晨子だからこそ、招かれずとも勝手に出席して、高飛車《たかびしゃ》な皮肉を言うぐらいは平然とするだろう、と想定しておくべきだったかもしれない。

「皆さん、屋内へ入って下さい」

天人が、言いながら、みずからは前へ出てゆく。

「急いでな」

と松風軒は大きな声を発して、天人につづく。

「お嬢。ご婦人方を頼む」

岩井も前へ出ていきかけるが、小走りに寄ってきた志果羽に押し戻される。

「女子衆《おなご》を守るのは、あんたじゃ」

なった。

「その装《なり》でやるのか」

「どんな装でも、戦えるわ」

志果羽は、着物の裾を持ち上げ、帯にたばさんだ。伸びやかな脚《あし》が膝《ひざ》まで露《あら》わになった。

「面白くなってきた」

と猛太郎も進み出る。

天人、松風軒、岩井、志果羽、猛太郎の五人は、晨子の一行を目にした瞬間に、不穏《ふおん》の気を感じたのである。

ほかの参会者らと屋内へ入ってゆく岩井を除き、四人は横並びとなり、門を入ってきた晨子の一行に対した。

晨子は、頰《ほお》かむりをした六人の男に囲まれ、そのひとりから首に短刀を突きつけられている。

実は、晨子は、五色の小石荘における茂の写真撮影会のことを知ったとき、当然招待されるものと独《ひと》り決めした。ところが、前日になっても使者ひとり来ない。きょうは朝から不機嫌で、侍女や護衛らの存在も鬱陶《うっとう》しくなって、独りでこっそり別荘を抜け出すと、二号国道で人力車を呼び止め、西小磯のほうへ向かった。五色の小石荘の近くで、知った顔の参会者にでも出会えば、そんな会を催《もよお》しているのなら、少し顔を出してやってもよいと言ってやるつもりになったのだ。しかし、晨子が切通橋《きりとおしばし》の手前で出会ったのは、まったく見知らぬ六人連れの男たちだった。

右のことを、天人らは、あとで晨子自身の口から渋々明かされることになる。

「汝《うぬ》ら、金持ちだろ。こんな豪勢なところで宴会を開きやがるんだからな。金を出せ」

首謀者なのだろう、晨子に短刀を突きつけている者が、目の前の天人らを威《おど》した。余の者も一斉《いっせい》に短刀を抜く。

頭と頬から顎にかけてを隠すだけの頬かむりだから、目、鼻、口は曝《さら》されており、六人の顔面の大半がよく見える。明るい日中だけに、なおさらのことだ。いずれも二十歳《はたち》前後に違いない。

着衣は綻《ほころ》びや継ぎ接《は》ぎの目立つみすぼらしいものだが、チョッキを着ている者も、ズボンを穿《は》いている者もいる。

「学生だな、お前ら」

呆《あき》れたように言ったのは、猛太郎である。

「そのようじゃ」

と松風軒も頷く。

「われわれは人殺しも平気でやる強盗団《ごうとうだん》だ」

「言うとおりにしないと、本当に殺すぞ」

男たちは怒号を上げた。が、及び腰である。はったりに違いない、と天人らには察せられた。

「近頃、東京じゃ、お前らみたいなのが増えたが、神奈川でも出るようになったか。学生の本分は勉学だぞ」

言ったそばから、猛太郎はおのれの頭を掻《か》いた。ちょっと恥ずかしそうに。

「ま、ならず者の言うことじゃないな」

近年、夢を抱《いだ》いて地方から東京へ遊学する若者が、華美の風に染《そ》まって、悪友とつるむようにもなり、放蕩三昧《ほうとうざんまい》をして、父兄からの学資を濫費《らんぴ》した揚げ句、中途退学をして落ちるところまで落ちるという悪例が急激に増えている。つい先頃、「明治二十九年上半期の学生、情死、人殺、詐欺取財《さぎしゅざい》、または娼婦《しょうふ》に溺《おぼ》れて、学業を廃せしもの百七十余人あり」という新聞記事も出た。

「問答無用じゃ。こんなやつら、手足の骨の一本、二本、へし折ってやる」

と志果羽が一歩前へ出ようとするのを、天人が制した。晨子の喉首《のどくび》に短刀の鋒《きつさき》が触れそうになったからである。

気の強い晨子は歯を食いしばり、悲鳴も上げない。

「あの……」

天人らの後ろから声をかけたのは、茂である。恐る恐る寄ってきていたのだ。

「闖入者《ちんにゅうしゃ》の皆さん、短刀を捨てたほうがいい。こちらの四人は、物凄《ものすご》く強いですよ。とくに、骨をへし折るって言ったその女性《にょしょう》は、言ったとおりどころか、もっと酷《ひど》いことをします」

「なんじゃとっ」

振り向いた志果羽の目が怖い。

「それより、皆さんがもし、本当にお金に困って学校へ行けなくなった学生なら、渋谷村《しぶやむら》の東京感化院《かんかいん》のお世話になってはどうでしょう。通常は入所費や月謝が必要ですが、特例で無償の給費生の更生も行っていますから」

無慈悲《むじひ》な強盗団を称する者らは、首謀者以外、眼を泳がせ、互いの顔を見合わせはじめた。

「シゲ坊。それが話し合いで勝負するってやつだな」

松風軒が思わず手を拍《う》った。

「院長の高瀬真卿《たかせしんけい》どのには、おれから口を利《き》いてやる」

「マッちゃん、知り合いなの」

「あのひとは刀剣の研究家でもあってな、同好の士だから、たびたび会ってるんだ」

ジャーナリストで自由民権論者でもあった高瀬真卿は、監獄《かんごく》の教誨師《きょうかいし》をつとめたことから社会事業に目覚《めざ》め、日本初ともいわれる私立の感化院を創設すると、その後は宗教団体、皇族、さらにはロシア皇太子からも寄附金を得て、渋谷村羽沢《はねさわ》の御料地《ごりょうち》九千余坪を無料貸し下げされて、東京感化院を設立したのだ。茂の広尾の新しい屋敷から近い。

「しかし、あの高瀬っていうのは……」

「後藤どの。そいつぁ、いまはやめときましょうぜ」

猛太郎が何を言おうとしたのか察した松風軒は、遮《さえぎ》った。

「そうだな」

高瀬真卿を世間を欺《あざむ》く大偽善者《ぎぜんしゃ》と非難する声も聞こえる、と言いかけた猛太郎なのだが、たしかにこの場では不穏当《ふおんとう》だろう。

「どうする、お前《めえ》たち。いま短刀を捨てて、おれに身を預けるってぇんなら、この場のことは水に流してやる」

即座にひとりが短刀を捨てるや、躊躇《ためら》いがちながら、二人目、三人目とつづいた。

「感化院なんて、くそ面白《おもしろ》くもないところだぞ」

首謀者が翻意《ほんい》させようとするが、短刀を捨てた三人は目を逸《そ》らす。

「すまん、石曽根《いしぞね》」

首謀者に謝った者が、短刀を足許《あしもと》へ置いた。四人目だ。

残るひとりは震えている。

「桐原《きりはら》。おぬしは裏切らないよな」

首謀者の石曽根の声音《こわね》に、微《かす》かだが懇願《こんがん》の響きがあった。

「衆道《しゅどう》の者らか……」

ぽつり、と猛太郎が洩らした。

相手に聞こえてしまったようである。

「わあああっ」

桐原と呼ばれた者が、短刀の柄《つか》を両手で摑んで、志果羽めがけて突進してきた。女と侮《あなど》ったのかもしれない。

志果羽は、難なく体《たい》を交《か》わしざま、桐原の両手首を摑むや、腰を落として、投げを打った。

宙に舞った桐原は、一回転して背中から落ちる。その衝撃《しょうげき》で、短刀を手放してしまう。

すかさず、猛太郎が、立ったまま、桐原の喉首へ靴底《くつぞこ》を強く押しつけた。

「暴れるなよ。頸《くび》が折れるぞ」

この間に、晨子を捕らえている石曽根の体《からだ》から力が脱《ぬ》けたのを見逃さなかった松風軒が、音も立てずに間合《まあ》いを詰めて、その短刀を持つ右腕を捻《ひね》りあげている。同時に、天人も詰め寄り、晨子の体を抱き取った。

まるで事前に申し合わせていたような、ふたりの見事な連繋《れんけい》である。

松風軒に短刀を奪い取られ、突き飛ばされた石曽根は、後ろざまにひっくり返ったが、思いの外《ほか》に素早く立ち上がった。泣きだしそうな顔である。

瞬時に眼を潤《うる》ませた石曽根は、背を向け一散《いっさん》に逃げだした。

「見逃してやりねえ」

追いかけてゆく志果羽の背へ、松風軒が言葉を投げた。

「こいつらも逃げたあいつも、若《わけ》え。ちょいと道を踏み外すなんざ、よくあることだ。あいつには、自分で改心する機会をいちどは与えてやろうじゃねえか」

多くの罪人の首を、文字通り斬《き》った男の言葉だけに、その「赦《ゆる》し」はかえって、ひとの心を打つ。

足を止め、裾を下ろしながら戻ってきた志果羽と、天人の目が合った。

天人は旧徳川御三家の令嬢をまだ抱き寄せたままである。晨子が離れてくれないのだ。

志果羽は、晨子の背へ回されている天人の両手の甲の皮膚を摘《つま》んで、思い切り捩《ね》じり上げた。

「くぅ……」

痛みを我慢したつもりの天人だが、呻《うめ》きが洩れた。

「いまのお声、いかがなさいましたの、シンプソンどの」

天人の胸からおもてを上げて、訝《いぶか》った晨子である。

「あなたの甘き香りに、思わず……」

「匂《にお》い袋をしのばせるのは、上流の女子《おなご》のたしなみにございますわ」

「そうでしたね」

そんな天人の足を、すれ違いざまに踏みつけにしてから、志果羽は茂の前に立った。

「あんたは、あたいとあのお騒がせお姫《ひ》ぃさまと、どっちがいい」

志果羽が冗談《じょうだん》で問うているようには見えないので、茂は間髪《かんはつ》を容《い》れず、こたえる。

「志果羽さんに決まってます」

「茂」

「はい」

「決まってますは余計じゃったな。嘘くさいわ」

　ふん、と鼻を鳴らして、志果羽は離れてゆく。茂はほっとした。殴《なぐ》られなくてよかった。

「お前《めえ》たち、腹がへってるんだろ」

　すでに頬かむりを脱《ぬ》いで、悄然《しょうぜん》としている四人の若者へ、松風軒が言った。

「いいかえ、天人」

「むろんです」

　ようやく晨子が離れてくれた天人は、かれらへ笑顔を向ける。

「食事をしていきなさい」

　すると、四人は揃《そろ》って、こくりと頷いた。

「腹が満ちれば、心も充《み》ちる。人間なんて、そんなものだ」

　猛太郎が、手を貸して立たせてやった桐原の肩をぽんぽんと叩く。この若者は泣いている。

　そよそよと吹く風が、磯馴松《そなれまつ》の梢《こずえ》から梢へと渡って、海辺の邸宅の庭に揺蕩《たゆた》っていた。

〈第十八話　了〉

わたしのちょっと苦手なもの ⑩

水中ステージ

背筋（作家）

赤い帽子にオーバーオール姿の配管工男性が主人公のゲーム。長きに渡り多くの人々を魅了し、現在に至るまでシナリオや技術がアップデートされ続けている。イチシリーズファンとしてちょっと苦手に感じるのが、その水中ステージだ。

私がそれに気づいたのがもう三十年近く前。まだ、アクションゲームといえば2Dの横スクロールが主流だったころだ。そのゲームでは画面の左から、右に向かって主人公を走らせ、立ちはだかる敵をやっつけていく。水中ステージでもそれは同様だが、異なる点は泳いで移動すること。通常ステージではダッシュやジャンプなど、自在に主人公を操ることができるが、水中で可能なアクションは少ない。その不自由さが、陸上生物が水中を泳ぐということのままならなさを巧《うま》く表していた。

突進してくる魚、執拗《しつよう》に追ってくるイカなど、水中ステージにふさわしい敵たちは、主人公と違って素早く泳ぎ、プレイヤーである私を苦しめた。そんな理由から、水中ステージは単純に難易度が高かったように思う。クリアに向けて何度もリトライを繰り返すうちに、私はあることを想像してしまう。ドットで表現された敵のビジュアルは、ともすれば可愛らしく映るが、自分が実際に遭遇《そうぐう》したらどうだろうか。海を泳いでいると、自身と同じ体長の魚やイカの群れが迫ってくる。目的は私を捕食するため。必死で足をバタつかせて逃げるが、そこは彼らのテリトリーだ。すぐに捕まってしまうだろう。それがゲームならリトライが可能だ。だが、実際であれば、私の身体は喰《く》い荒らされる。水中で逃げることもできず、身体が解体されていく過程で、相当な痛みや苦しみを感じるだろう。

同時期に、テレビ番組で海外のダイオウイカの映像を見たことも影響したのかもしれない。嫌な想像は止まらず、気づけば、水中ステージに挑む前には、少しだけ心の準備が必要になってしまった。

余談になるが、そんなゲームも、その数年後には、3Dで冒険ができるようになった。上下左右に、奥行きがプラスされたことは、まさにゲーム史を変える発明だった。当然、私もゲーマーとして新たな時代の幕開けに心を奪われた。

水中ステージも例に漏《も》れず、3Dになってより臨場感も増した。私はそこで出会ってしまう。あの、巨大なウツボに。私の文章ではあの恐怖感は表現できそうにない。ご興味のある方は、「〇〇〇（主人公名）」と「トラウマ」で検索を。あのステージだけは、今でも苦手だ。少しどころの話ではない。なんなら幽霊よりも苦手だ。

せすじ　小説投稿サイト「カクヨム」にて『近畿地方のある場所について』を連載し、話題を呼ぶ。2023年8月に書籍化しデビュー。

第七回

徒然草エッセイ大賞

大賞受賞作品

徒《つれ》然《づれ》人《びと》よ、筆をとれ。

募集テーマ「ときめき」

2017年、京都府八幡市の市制施行40周年を機に
創設された「徒然草エッセイ大賞」。
第七回では、「ときめき」をテーマに一般の部
1161点▽中学生の部744点▽小学生の部499点が
寄せられ、3月16日に石清水八幡宮にて
入選者への授賞式が行われました。
本稿では、各部門の大賞作品をご紹介します。

選考委員

選考委員長：山極壽一（総合地球環境学研究所所長・人類学者）
茂木健一郎（脳科学者）／中江有里（女優・作家・歌手）／田中恆清（石清水八幡宮宮司）／寺田昭一（月刊誌「歴史街道」特別編集委員）／川田翔子（八幡市長）

◎主催：八幡市、八幡市教育委員会　◎共催：PHP 研究所　◎協力：石清水八幡宮
◎後援：京都府、京都府教育委員会、歴史街道推進協議会、古典の日推進委員会、八幡市文化協会、（公財）やわた市民文化事業団、（一社）八幡市観光協会、八幡市商工会、八幡市工業会

入選作一覧

※優秀賞と佳作は氏名の五十音順

一般の部（応募総数1,161点）

【大　賞】	幸せの匂いのする家	群馬県前橋市	高山 恵利子(69)
【優秀賞】	写真が教えてくれたこと	奈良県桜井市	時任 チカ(54)
	ミトンを編みながら	埼玉県北足立郡	森田 ルミ(65)
	「足蹴にされた花たば」	岡山県岡山市	山吹 堯敏(92)
【佳　作】	確信	神奈川県横浜市	阿部 有希子(29)
	あくなき挑戦	神奈川県横浜市	工藤 孝之(76)
	「初回」はときめき始動のキーワード	京都府京都市	鈴木 美智子(51)
	ロック魂	千葉県船橋市	武部 めぐみ(53)
	「ときめく言葉」	長崎県長崎市	立木 英夫(68)

中学生の部（応募総数744点）

【大　賞】	魔法の箱と幸せな時間	東京都立大泉高等学校附属中学校 2年(東京都)	太田 理穂
【優秀賞】	ときめきは原動力	学校法人市川学園市川中学校 2年(東京都)	植田 莞梧
	四百年を超えて	学校法人市川学園市川中学校 1年(千葉県)	興野 晴
	ときめきは、いつもそばに	八幡市立男山第三中学校 2年(京都府)	長谷川 倖大
【佳　作】	高校生のお姉さん	八幡市立男山第二中学校 3年(京都府)	出口 理律子
	どこも都	学校法人市川学園市川中学校 2年(埼玉県)	袁 楽知
	憧れの自分	ドルトン東京学園中等部 3年(東京都)	(匿名希望)
	僕のときめき	学校法人市川学園市川中学校 1年(東京都)	中川西 翔馬
	あの場所に、手が届くまで	八幡市立男山中学校 1年(京都府)	福本 未玖

小学生の部（応募総数499点）

【大　賞】	私の妹と私の願い	八幡市立美濃山小学校 6年(京都府)	溝上 ふみ
【優秀賞】	サンダルのすきまから	八幡市立美濃山小学校 6年(京都府)	奥道 希美
	あきらめない虫たち	八幡市立橋本小学校 6年(京都府)	長谷川 美月
	初めての経験	八幡市立美濃山小学校 6年(京都府)	牧野 壮志
【佳　作】	私とあの子	八幡市立美濃山小学校 6年(京都府)	岡本 萌々夏
	貴重なようで貴重じゃない	八幡市立美濃山小学校 6年(京都府)	新越 悠音
	本が教えてくれたこと	八幡市立八幡小学校 6年(京都府)	藤井 友菜
	『思い出パン』は特別なパン	八幡市立美濃山小学校 6年(京都府)	増永 莉乃
	楽しいレシピでみんなを笑顔に	八幡市立美濃山小学校 6年(京都府)	和田 萌々花

選考委員長　山極《やまぎわ》　壽一《じゅいち》　〔総合地球環境学研究所所長・人類学者〕

「ときめき」は身体に宿り、未来を作る

　今年のテーマ「ときめき」はとても人間的でありながら、他の生命とつながっている感覚であると思う。私が長年付き合ってきたゴリラもときめいているように見えることがある。大好きなフルーツを見つけたとき、仲良しの友だちと追いかけっこをして遊んでいるとき、目が輝いている。そんな時、明らかにゴリラはわくわくするようなエネルギーに満ち溢《あふ》れているのだ。

　ときめきは人間の感性に正直な現象であるとともに、個人の経験と状況に大きく依存する。人間の子どもたちは、成長する中で自分が直面する状況にどう巻き込まれていくかを学ぶ。そして、その状況が自分に何を与えてくれたかを経験し、新しく出会う状況の中でそれを予期し、期待するようになる。その期待が未来の目標につながっていくのだ。

「ときめき」は個人的な体験の中にある。作者がそれを開いてくれることで、私た

ちはそれを共有し、この世界が驚きと幸福に満ちていることを知る。このたび受賞した作品群はそのことを如実に示してくれた。一般の部で大賞に輝いた「幸せの匂いのする家」は、幼い頃に一人で聞いた家のきしむ音が魔物の叫びに聞こえ、それがかつて家を襲った災害と貧困につながっているという思いを抱いた記憶。しかし、それが思わぬツバメの大群の襲来で、温かな幸せに満ちた家に変わっていく過程をわくわく、どきどきといった心の変化とともに描いている。思わず、「そうだよなあ」とうなずきたくなる情景だ。季節の移り変わりと生きものたちの動きはこんなにも人の心を変え、生きる力を与えてくれるのである。兼好法師の筆も、そのような自然の営みに動かされていたのであろうと改めて思う。

中学生の大賞は「魔法の箱と幸せな時間」で、本の王国で過ごす幸福に満ちあふれた作品だ。本は過去の時代を生きた人々の考えや物語を文字に変えて語りかける。作者はそれを歩きながら眺め、本たちのたたずまいがだんだんと違って見えてくることに気づく。それは本ではなく、自分が変わっているからなのかもしれない。でもそれは、図書館という世界を単に知識の収蔵庫としてとらえる従来の考え方に、新しい風を吹き込んでくれた。本の王国は時空を超えてさまざまな出会いを演出してくれる舞台なのだ。

小学生の大賞は「私の妹と私の願い」だった。お姉さんとして可愛い妹を持ったうれしさを正直に語っている。この年代の子どもたちは、自分が世界にどう受け入れられていくかに注意を払うだけでなく、自分とは違う他者をどう感じ、受け入れていくかを学ぶ。共感力を大いに高めて人々のきずなを感じる年ごろだと思う。作者は自分には体験できないダウン症という病気を抱えている妹を、ひたすら「可愛い」と感じることによって寄り添おうとしている。妹と一緒に生き、世界を共有しようとしている。それは人間だけに生まれる貴重な能力であり、その姿勢が生き生きと伝わってくる作品だと思う。

今回の作品は総じてレベルが高いと感じた。それは「ときめき」というテーマがエッセイを書くのにうまく合っていたからだろう。これからも多くの人たちが「ときめき」を感じ、それをみんなで共有できるような世の中になってほしいと切に思う。

一九五二（昭和二十七）年、東京生まれ。京都大学総長を経て二〇二一年より現職。京都大学名誉教授。専門は人類学・霊長類学。ゴリラ研究の第一人者。霊長類の様々な調査研究から、人間社会の由来と未来を探る。著書に『家族の起源』『父という余分なもの』『ジャングルで学んだこと』『暴力はどこからきたか』『「サル化」する人間社会』『ゴリラからの警告「人間社会、ここがおかしい」』など。二〇二一年、南方熊楠賞を受賞。

選考委員　茂木《もぎ》健一郎《けんいちろう》　〔脳科学者〕

自分の体験に寄り添って言葉を紡ぐこと

言葉は、人の心を映す鏡。生成ＡＩが発達するこの時代だからこそ、言葉を頼りにお互いの心を響き合わせたい。

小学生の部、大賞の『私の妹と私の願い』は、かけがえのない個性を持った妹を思う気持ちがみずみずしく綴《つづ》られていた。優秀賞の『サンダルのすきまから』は小さな命を見つめるまなざし、『あきらめない虫たち』は生命の強靭《きょうじん》さ、そして『初めての経験』は人とのふれあいのかけがえのなさを描く。佳作の『私とあの子』からは命のリレーを感じた。

中学生の部、大賞の『魔法の箱と幸せな時間』は、本と出会うことの素晴らしさを見事に表現する。優秀賞の『ときめきは原動力』は探求することの意味、『四百年を超えて』は歴史に対する想像力、『ときめきは、いつもそばに』は的確な観察眼が素晴らしい。佳作の『僕のときめき』は科学する心、『どこも都』は交流することの喜びを記す。

一般の部、大賞の『幸せの匂いのする家』には、家をめぐる物語の豊穣《ほうじょう》がある。優秀賞の『ミトンを編みながら』はラトビアミトンとの出会い、『足蹴にされた花たば』は、恩師との忘れがたい、小説のように劇的な思い出、そして『写真が教えてくれたこと』は母の人生の伏流を描く。佳作の『あくなき挑戦』は清々《すがすが》しい読後感があった。

人工知能全盛の時代だからこそ、それぞれの個性から放たれる言葉に輝きがある。ＣｈａｔＧＰＴのような人工知能は、人間の書いた膨大な文章から統計的に学習して、もっともらしい文字列を生成する。一方、人間の個性はそのような最大公約数から外れるからこそ素晴らしい。人間が自分の体験に寄り添って言葉を紡ぐ限り、エッセイの意味は失われない。

一九六二（昭和三十七）年、東京都生まれ。東京大学理学部・法学部卒、同大学院理学系研究科物理学専攻課程修了。理学博士。ソニーコンピュータサイエンス研究所シニアリサーチャー。「クオリア」（感覚の持つ質感）をキーワードに脳と心の関係を研究。『脳とクオリア』『心を生みだす脳のシステム』『脳の中の人生』『クオリアと人工意識』ほか著書多数。二〇〇五年に小林秀雄賞、二〇〇九年に桑原武夫学芸賞を受賞。

選考委員　中江《なかえ》 有里《ゆり》　〔女優・作家・歌手〕

心の動いた瞬間が伝われば

エッセイは自分の想いを言葉で表したもの。今回のテーマ「ときめき」を言葉にあらわすのは難しいだろう、と正直心配していました。

期待、喜び、恥じらい、思いがけない何かが起きた時、ふいに心が動きます。その動きを「ときめき」と呼びます。

ときめきとは、焼き立てのグラタンのようでもあり、冷たいソフトクリームのようでもあります。どちらもすぐに食べなければ美味しさが半減してしまう。

そう、「ときめき」は長く続かない。だから書き留める。

文学は「ときめき」の宝庫です。

小学生の部「私の妹と私の願い」も姉妹の絆を感じる素敵なエッセイでしたが「あきらめない虫たち」も好きでした。

中学生の部「魔法の箱と幸せな時間」はタイトルから物語が始まっていました。

こういう工夫もエッセイを書くコツです。

一般の部「幸せの匂いのする家」。人の家にお邪魔した時に、その家の匂いを感じることがあります。幸せの匂い、いいですね。

あえて「ときめいた」と書かなくても、心の動いた瞬間が伝われば、読む側の心はときめきます。

選考では多くのときめきに触れることができて、心震《ふる》えました。

一九七三（昭和四十八）年、大阪府生まれ。一九八九年芸能界デビュー、テレビドラマ・映画に多数出演。二〇〇二年『納豆ウドン』で第23回NHK大阪ラジオドラマ脚本懸賞最高賞受賞。NHKBS2『週刊ブックレビュー』で長年司会を務めた。著書に、『わたしの本棚』『残りものには、過去がある』『万葉と沙羅』『水の月』などがある。二〇一九年に歌手活動を再開し、二〇二一年に「Port de voix（ポール ド ヴォア）」、二〇二二年に新譜「Impression —アンプレッシオン—」発表。

大賞　一般の部

幸せの匂いのする家

群馬県前橋市　高山《たかやま》　恵利子《えりこ》（69）

竹藪《たけやぶ》は同じ方向に傾いたまま、弓なりの姿勢でもがいている。「こんなに風の強い日は、あの音がする」と思うと、私は家に入るのが怖かった。末っ子の私は学校から帰るのが一番早い。晩秋のコンニャク芋の収穫時は、いつも家に居るはずの祖母までが畑に駆り出される。芋を満載した耕運機がライトをつけて戻るまで、私は家に一人きりになる。「カッシーン！」。唐突すぎる一発の雷鳴のように、耳をつんざく音がするのはこんな時だ。私が一人になるのを狙って、魔物の叫びにも思える大音響が、天井から降ってくる。私は魔物に気づかれぬよう、家の中で身じろぎもせず家族の帰りを待つのだった。

ようやく耕運機の音が聞こえ、私は人心地ついた。夕飯準備のため家に入ってきた祖母は、コタツに体を埋めている私をみつけて、「寒かったんべえ、今ストーブつけるからなあ」と慰《なぐさ》めた。杉ッ葉が勢いよく燃えだし、暖気が煙突を伝うころ、私はコタツから這《は》い出て、うどんを捏《こ》ね始めた祖母の傍《かたわ》らに座った。炎に癒されながら、早くこの家に潜む魔物の存在を知らせなければと思う反面、私の妄想かも知れない一言で、楽しい夕餉《ゆうげ》のひと時を壊すことも怖かった。けれど度重なる恐怖に耐えかねて、ついに私は魔物の存在を父に打ち明けた。父は「あの音がおっかなかったんかあ」と笑った。

私が生まれる前年、我が家は放火で全焼した。山の欅《けやき》や杉をすべて切り、建築用資材と費用に充てた。伐採《ばっさい》した木を里まで運び、じっくり乾燥を待つ予定だった。けれど養蚕《ようさん》農家でもある我が家は、住居兼蚕室《かいこしつ》である家屋を一刻も早く必要とした。材木の十分な乾燥期間を待たず着工に踏み切ったのだ。そのため空気が乾燥する晩秋になると、耐えきれなくなった木が悲鳴を上げるという。子供部屋の欅の柱の亀裂はそのためだと教えられた。

安堵《あんど》した反面、火事を知らず育った私には、忌《い》まわしい過去と向き合う父の悲鳴のように聞こえるようになった。家も山の木もすべてを失くした父の慟哭《どうこく》。それは魔物より恐ろしい現実だった。私は物をねだることも、手伝いを嫌がることもなくなった。私は父と共に我が家に潜《ひそ》む「貧乏」という魔物と戦わなければと思った。けれど「貧乏」を自覚することは、心凍るほどに寂しいことでもあった。そんな私を元気づけたのは、翌年の初秋の出来事だった。学校から帰った私を出迎えたのは、見渡す限り一面のツバメの群れであった。母屋《おもや》や土蔵や倉庫の屋根では陣取り合戦が勃発し、多すぎるツバメを乗せた電線はたわみ、上空では到着したばかりのツバメが渦を描いていた。おびただしい数のさえずりは、天をも揺るがすほど。窮屈そうに横一列に整列したツバメたちは、ところどころで弾き出された者たちがわずかに宙に浮く。するとさっきまでの居場所は無くなって、はみ出した者たちは、あてどもなく滑空するしかない。

驚いたことにその喧騒《けんそう》の中で悪魔のすみかと思えた我が家が、鈴なりのツバメをのせて笑っていた。大海原にたゆたう船のように、楽しげにスイングしてみせた。おしゃべりなツバメたちは「この家は最高さ」と私に告げる。カメラもない。人を呼ぶ術《すべ》もない。心に留め置くしかない光景。驚きと喜びとわくわく感がごちゃ混ぜになった焼け付くほどの熱いときめきが、私の凍《い》てついた寂しさを溶かしていく。私は温かな幸福感に包まれていた。

　その晩、興奮して報告する私の話をうけて、父は「南に渡る集合地にわが家が選ばれたんだ」と誇り高く言い放った。私の家はツバメたちに選ばれし家。ツバメたちが好むのは金持ちの家でも猫のいない家でもない。幸せな匂いのする家。兄が「集合場所は誰が決めるん?」と問うと、母は栗を剝《む》く手をとめ、「そうさな、じいさんツバメかな」と応えた。

「腹が減ったらどうするん?」という私の問いかけに、南国で暮らしたことのある父は、「南へ行ったら食い物がいっぺえある」と微笑んだ。私は心弾ませ、ツバメたちの南国の暮らしに思いを馳せていた。

　わが家に魔物などいなかった。家は住む人の悲しみや苦しみを飲み込んで、住む人と共にある。わが家は泣いていない。いつも笑っていたのだ。わが家には私を待つ祖母がいて、茹《ゆ》で栗を食べながらの楽しい団欒《だんらん》があった。それを幸せというのに。私は貧乏を自覚する大人でありたいと、背伸びしすぎて、寂しさに心を凍らせていた。もし誰かに「君は幸せなんだよ」と諭《さと》されても、私は耳を貸さなかったかもしれない。私の頑《かたく》なな心を溶かしたのは、ツバメたちをのせ誇らしげに笑っていたわが家の姿。あの日の光の矢で射ぬかれたような鮮烈なときめきが、一瞬で私の心を溶かした。私は幸せの匂いがする家に住む子供。

六十年が過ぎた今も、わが家は健在だ。その寛容な姿を見上げるたび、老いた私の胸は「じいさんツバメがまた、わが家を集合地に選んでくれないかしら」と、淡くときめく。

大賞　中学生の部

魔法の箱と幸せな時間

東京都立大泉高等学校附属中学校　2年　太田《おおた》 理穂《りほ》

私の母は、昔司書として働いていた。私が生まれる直前には東大の法学部の図書室で働いていたらしい。まだ小さい私を抱いてその図書室で撮った写真がアルバムに残っている。

その母は、本が好きだから司書になったという。もちろんそんな母に育てられた私も本好きとして育ち、図書館をよく利用している。

私は図書館が好きだ。図書館、という言葉から連想されるのは、たくさんの本と、その先にあるまだ見ぬ世界、というのは少し詩的すぎるだろうか。

でも、私にとって図書館とはそういう場所だ。たくさんの夢が詰まった、まるで魔法の箱のような場所。言いすぎかもしれないが、私にとって図書館が限りなく魅力的な場所であることに変わりはない。

しかし、私がときめくのは図書館自体ではない。図書館の、あの静謐《せいひつ》な空気感でもなければ、整然と並べられた、読まれることを待つ本たちでもないし、くるくると忙しく働いている図書館の人々でもない。もちろんそれらはすべて、私の目にひどく魅力的に映るものではあるが、私が本当にときめくのは、そういったものたちではない。私をときめかせるのは、書架に並んだ本たちを眺めながらそぞろ歩く時間そのものだ。

まだ読んだことのない本たちと、この前読んで、新しくお気に入りの脳内コレクションの中に追加された本や、大昔に読んでもう内容を覚えていないような本。そんな本たちを眺めながら歩くのは間違いなく最高の瞬間だと思う。

そうやって歩いていく途中で、題名に惹《ひ》かれた本、著者名に惹かれた本、この前どこかで見て気になっていた本、と次々手に取っていくと、いつの間にか私の左手には数冊の本が収まっている。まるで、そこが正しい場所ですと言わんばかりの顔をして。

何度も書架《しょか》を眺《なが》めた、普段から通っている図書館でもそれは変わらない。書架の並びは何も変わっていないはずなのに、行くたびに私の目に映る本たちは様子を変えている。以前は目に入らなかった本が急に自分のことを主張してきたり、一度読むことを諦《あきら》めた本がもう一度自分を手に取って、開いてみてくれと訴えかけてきたり、そんな時の書架は騒がしくて仕方がない。そんな本たちを、しょうがないな、と心の中で呟《つぶや》きながら手に取っている私は、きっととても幸せな顔をしているはずだ。

世界中にあるすべての本を読んでみたい、なんて高望みはしないけれど、目に見える範囲にある本には、背伸びをしてでも手を伸ばして、貪《どん》欲《よく》に活字を貪《むさぼ》り続けたい。

そう願う私が今最もときめくものは、私を大好きな本たちに出会わせてくれる、図書館の書架を歩いている時間なのだ。

大賞　小学生の部

私の妹と私の願い

八幡市立美濃山小学校　6年　溝上《みぞうえ》　ふみ

　私には、妹が二人いる。年が近い方とは、顔を合わせるたびにけんかをしているのだが、三才の妹とはまだ一度もけんかをしたことがない。まだ小さいし年がはなれていることもあると思うが、一番の理由は、「かわいい」ということだ。ほっぺはぷにぷにで、ねぇねと呼んでくれる妹のことをかわいいと思わない人はいないと思っている。

　そんなかわいい妹がある日、熱を出した。三十九度の高い熱が続きぐったりとしていた。わが家のアイドルともいえる、妹がしんどそうにしているので、お母さんとお父さん二人そろってはやく帰ってきた。その後、病院につれていかれ、薬をもらい、つかれはてた様子で帰ってきた。インフルエンザでもノロウイルスでもコロナでもないらしい。次の日、まだ熱の高い妹をおいて、学校に行った。授業中も先生の言っていることが全く頭に入ってこないありさまだった。そんな日々は三日後にようやく終わりをつげた。

朝、まだねむたい私を起こしたのは、目ざまし時計ではなく、原因不明の病気と闘って勝った妹だったのだ。ねむたいのも忘れ、朝から妹と遊びまくった。家の中を走り回り、だっこもいっぱいやりつくして学校へ行った。久しぶりに集中できた。

妹はダウンしょうという病気をかかえている。決して治ることのない病気だ。二十一本目のせんしょく体が一本多いために起こる。さまざまな知的・身体的障がいをひきおこすため、成長がゆっくりだ。でも私は、妹が生まれてきた時からずっとときめいている。そして今、このしゅん間も。病気になったら、心配するし、元気になってくれるととてもうれしい。それは、私にとっての当たり前。いつまでも妹に元気でいてほしい。いつまでも、妹と楽しく暮らしていきたい。

文蔵

◆筆者紹介◆
5月号

あさのあつこ

54年岡山県生まれ。「バッテリー」シリーズで数々の賞を受賞。著書に、「おいち不思議がたり」「The MANZAI」「NO.6」「弥勒の月」シリーズ、などがある。

瀧羽麻子《たきわ あさこ》

81年兵庫県生まれ。2007年『うさぎパン』でダ・ヴィンチ文学賞大賞を受賞し、デビュー。著書に『ありえないほどうるさいオルゴール店』『博士の長靴』など。

寺地はるな《てらち はるな》
77年佐賀県生まれ。14年『ビオレタ』で第4回ポプラ社小説新人賞を受賞。著書に『川のほとりに立つ者は』『水を縫う』『ガラスの海を渡る舟』など。

中山七里《なかやま しちり》
61年岐阜県生まれ。09年『さよならドビュッシー』で「このミステリーがすごい！」大賞を受賞。著書に『越境刑事』『帝都地下迷宮』『ヒポクラテスの悲嘆』など。

松嶋智左《まつしま ちさ》
61年大阪府生まれ。元警察官、女性白バイ隊員。２００５年に北日本文学賞、06年に織田作之助賞を受賞。著書に『女副署長』『三星京香の殺人捜査』など。

宮本昌孝《みやもと まさたか》
55年静岡県生まれ。『天離り果つる国』で、『この時代小説がすごい！　22年版』の単行本部門第一位を獲得。著書に、『剣豪将軍義輝』『ふたり道三』『風魔』など。

村山早紀《むらやま さき》
63年長崎県生まれ。『ちいさいえりちゃん』で毎日童話新人賞最優秀賞、椋鳩十児童文学賞を受賞。代表作に「コンビニたそがれ堂」「桜風堂ものがたり」シリーズなど。

和田はつ子《わだ はつこ》
東京都生まれ。日本女子大学大学院修了。著書に「料理人季蔵捕物控」「ゆめ姫事件帖」「口中医桂助事件帖」「花人始末」シリーズなどがある。

文蔵◆バックナンバー紹介

Vol.196 ２０２２年１２月
〈特集〉**山口恵以子デビュー十五年の軌跡**
●新連載小説 **小路幸也**「すべての神様の十月㈢」（～２０２３・１１）

Vol.197 ２０２３年１・２月
〈ブックガイド〉**新世代のミステリー作家に大注目**

Vol.198 ２０２３年３月
〈特集〉**「建物」が生み出す物語**
●新連載小説 **西澤保彦**「彼女は逃げ切れなかった」（～２０２４・１・２）
●新連載エッセイ わたしのちょっと苦手なもの

Vol.199 ２０２３年４月
〈特集〉**二刀流作家の小説が面白い**

Vol.200 ２０２３年５月
〈特集〉**あさのあつこ その作品世界の魅力**

Vol.201 ２０２３年６月
〈特集〉**時代を映す「青春小説」**
●新連載小説 **瀧羽麻子**「さよなら校長先生」

Vol.202 ２０２３年７・８月
〈特集〉**ジョブチェンジ小説で未来を拓け**
●新連載小説 **村山早紀**「桜風堂夢ものがたり２」

Vol.203 ２０２３年９月
〈特集〉**竹宮ゆゆこ作品の魅力に迫る**
●新連載小説 **あさのあつこ**「おいち不思議がたり」
寺地はるな「世界はきみが思うより」

Vol.204 ２０２３年１０月
〈特集〉**「スパイ・国際謀略」小説**
●新連載インタビュー 推し本、語ります

Vol.205 ２０２３年１１月
〈特集〉**小説で考える「ルッキズム」**

Vol.206 ２０２３年１２月
〈特集〉**作家・今村翔吾の軌跡**

Vol.207 ２０２４年１・２月
〈特集〉**小説で読み解く紫式部と「源氏物語」**

Vol.208 ２０２４年３月
〈特集〉**とにかくかわいい「猫小説」**

Vol.209 ２０２４年４月
〈特集〉**目が離せない！ 神永学の作品世界**
●新連載小説 **和田はつ子**「汚名 伊東玄朴伝」

※創刊号（２００５年１０月）～Vol.195（２０２２年１１月）は品切です。

目次は文蔵HP**[https://www.php.co.jp/bunzo/]**でご覧いただけます。

ＰＨＰ文芸文庫　文蔵 2024. 5

2024年５月２日　発行

編　者　「文蔵」編集部
発行者　永田貴之
発行所　株式会社ＰＨＰ研究所
東京本部　〒135-8137　江東区豊洲5-6-52
文化事業部　☎03-3520-9620(編集)
普及部　☎03-3520-9630(販売)
京都本部　〒601-8411　京都市南区西九条北ノ内町11
PHP INTERFACE　https://www.php.co.jp/
制作協力
組　版　朝日メディアインターナショナル株式会社
印刷所
製本所　図書印刷株式会社

 ISBN978-4-569-90391-0